Fotografía digital

HOBBY PRESS

axel springer

Ediciones Hobby Press, S.A. 2004
C/ Los Vascos, 17 - 1ª. Madrid. España
Hobby Press es una empresa de Axel Springer.
Impreso en España, Cobrhi. Printed in Spain.

1 La cámara — La cámara digital 10

2 Conexión con el PC — La conexión con el ordenador 19

3 Hacer fotos — Fotos perfectas con la cámara digital 31

Tito Klein
Director

Fotografía digital

En poco más de tres años, la técnica digital ha cambiado radicalmente el mundo de la fotografía. Dos de cada tres cámaras en el mercado almacenan sus fotos en tarjetas como la Compact Flash en lugar de la tradicional película. También por lo que respecta a la calidad, las instantáneas digitales pueden equipararse ya sin esfuerzo a las fotos de las mejores cámaras *réflex*.

Las ventajas de la fotografía digital son evidentes: se pueden visualizar las imágenes de inmediato en el monitor de la cámara y borrar automáticamente las que han salido mal. También se pueden descargar las imágenes en el ordenador sin dificultad, tratarlas en él y guardarlas como un álbum de fotos electrónico. No en vano, los lectores de tarjetas de memoria y los programas de tratamiento fotográfico figuran ya casi en cualquier equipamiento básico de un ordenador moderno.

En este libro encontrarás los temas más importantes sobre fotografía digital. Te ofrecemos consejos para la compra de una cámara y te explicamos, con el ejemplo de uno de los mejores aparatos, los elementos esenciales de la fotografía digital. Hemos dedicado un espacio preferencial al tratamiento y la modificación de fotos mediante ordenador: retoques, impresiones, copias en papel utilizando los servicios online de las empresas fotográficas y álbumes de fotos que puedes almacenar en tu propia página web.

Para desarrollar todos estos puntos hemos utilizado un cámara *Canon Digital Ixus 400* y algunos programas de tratamiento fotográfico concretos, como "PhotoImpact", pero podrás seguir básicamente todos los pasos con otros modelos de cámara y diferentes programas.

Como es habitual en la colección de libros de Computer Hoy, todas las instrucciones son fáciles de comprender y de llevar a la práctica enseguida. No pases por alto las explicaciones de los términos especializados, marcados en rojo, pensadas sobre todo para los que empiezan con el ordenador. Las encontrarás ordenadas alfabéticamente en un apéndice al final del libro.

1 La cámara digital

¿A quién no le ha pasado? Que las cajas con las fotos en color de las últimas vacaciones estén cubiertas de polvo. O que nadie sepa cómo habrán quedado las fotos en el carrete que está todavía por revelar. O que tu "vieja" cámara de fotos, esté apartada en un rincón porque es demasiado grande y pesada para llevarla de viaje.

Gracias a las cámaras digitales, problemas como ésos pertenecen al pasado. Algunos de estos aparatos son tan pequeños como una cajetilla de tabaco y pueden ser transportados sin problemas. También la época de los negativos y de las fotos que salen mal se ha terminado. Las imágenes se guardan fácilmente en formato digital en **tarjetas de memoria** y el resultado se observa justo después de la toma. Si no te gusta una foto, se borra y puedes hacerla de nuevo al momento. Y si necesitas copias en papel, puedes pedirlas cómodamente a través de Internet. Las ventajas frente a las cámaras tradicionales son incalculables. Lo irás viendo a lo largo de los capítulos.

Pero, puesto que la oferta de **cámaras digitales** es enorme, deberás reflexionar con calma sobre cuál de estas pequeñas joyas electrónicas es la más apropiada para ti. Piensa en qué es lo que esperas de tu cámara, qué uso concreto vas a hacer de ella y, naturalmente, cuántas fotos piensas hacer.

Sumario de la sección

Una cámara para cada finalidad

El sueño de muchos fotógrafos aficionados es colgar sus instantáneas en formato póster en todas las paredes. A otros les basta con guardar las fotos de sus vacaciones en un tamaño normal dentro de una caja de zapatos. Algunos llevan siempre la cámara encima, otros toman fotografías sólo en vacaciones. Para todos los casos ofrece el mercado la cámara adecuada.

Una buena elección puede ser la *Canon Digital Ixus 400*, que precisamente fue la que quedó en el primer puesto en el test sobre cámaras digitales, realizado en el número 131 de la revista Computer Hoy. Esta cámara está bien preparada para la mayoría de situaciones. Además, es manejable, fácil de utilizar y robusta.

Casi tan pequeña como un paquete de cigarrillos, esconde sin embargo una desarrollada cámara fotográfica. Y su ventaja es que es tan pequeña y ligera (185 gramos, 223 gramos con cargadores) que se puede llevar sin dificultad en el bolsillo del pantalón.

- El objetivo **zoom** con que cuenta es suficiente para captar objetos a formato completo en cualquier situación. Y con la pantalla de control en la parte trasera puedes comprobar directamente si has logrado la imagen deseada.

- Los 4 **megapíxeles** garantizan que las imágenes, incluso muy ampliadas, mantengan la nitidez y la riqueza de detalles.

- No obstante, la tarjeta de memoria de 32 **megabytes** resulta un poco pequeña para una cámara de 4 megapíxeles.

En esta tarjeta cabe un total de 14 fotografías con una **resolución** de imagen óptima.

! Cambiar la tarjeta de memoria

La *Canon Digital Ixus 400* utiliza la llamada CF-Card (**Compact Flash**-Card). Las hay de diferentes tamaños. Para asegurarte de que no te encuentres con la memoria de la tarjeta saturada durante un viaje, coloca una tarjeta CF de al menos 128 megabytes. Con una cámara de 4 megapíxeles como la *Ixus* caben en una tarjeta como ésa unas 64 imágenes de resolución óptima.

Distancia focal y resolución

Una característica importante del equipamiento de una cámara de fotos, lo mismo que en las cámaras digitales, es la llamada **distancia focal** del objetivo. En las cámaras digitales, la mayoría de objetivos tienen diferentes distancias focales.

Por lo que respecta a la resolución, ésta hace referencia a la precisión del detalle que guarda relación directa con el número de píxeles por pulgada que se concentren en la imagen.

La *Ixus* cuenta con un objetivo zoom con una distancia focal de 36 a 108 milímetros.

Eso quiere decir que tienes a tu alcance todas las posibilidades, desde un plano en **gran angular** hasta un **teleobjetivo.**

Puedes cambiar la distancia focal del objetivo mediante la pequeña palanca que hay en la parte superior de la cámara.

- Cuando haces una fotografía con plano gran angular, obtienes una vista general del objeto que quieres captar.

- Si colocas la posición de teleobjetivo, acercas el objeto sin que tengas que aproximarte a él.

Con esta función puedes también definir el encuadre de la imagen.

● A esta función la denominamos "zoom". La mayoría de cámaras digitales disponen de uno de estos "**zooms ópticos**", que se aplican según las diferentes posiciones de la lente dentro del objetivo. La *Ixus* tiene un objetivo óptico triple y esto quiere decir que aumenta hasta tres veces el tamaño del objeto fotografiado.

● Con frecuencia te encontrarás también con el llamado "**zoom digital**". Un zoom de este tipo, del cual la *Canon Digital Ixus 400* también dispone, permite aumentar una imagen hasta 11 veces su tamaño, aproximadamente. Sin embargo, con el zoom digital no se logra en realidad un auténtico aumento, sino que se toma sólo un fragmento de la imagen.

En la pantalla de control se muestra la capacidad del zoom digital ●.

Con este tipo de zoom, la calidad de la imagen empeora sensiblemente. Es mejor que utilices el zoom óptico de tu cámara. Siempre podrás aumentar fragmentos de imagen más adelante, con un programa gráfico como Ulead PhotoImpact XL, del cual te explicamos su funcionamiento a partir del capítulo 6 en este mismo libro.

Una imagen digital se compone de múltiples "puntos de imagen" (píxeles) de diferentes colores. A mayor número de píxeles, mayor fidelidad a los detalles tendrá la imagen ●.

Sólo con una alta cantidad de píxeles se puede ampliar mucho una imagen sin que disminuya la calidad de ésta.

- Como hemos indicado anteriormente, la *Ixus* tiene unos 4 megapíxeles. Esto significa que cada imagen puede llegar a componerse de 2269 x 1701 "puntos de imagen" (3,86 megapíxeles). Pero con esta resolución, los archivos de imagen ocupan demasiado espacio, de modo que sólo puedes almacenar en la tarjeta de memoria unas pocas fotografías con la mayor resolución. Si disminuyes la resolución, alrededor de 640 x 480,

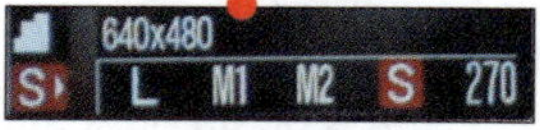

podrás almacenar más fotos en la misma tarjeta. La parte negativa es que esas imágenes sólo podrán ampliarse un poco más sin perder definición.

Antes de decidirte por una resolución, deberías saber qué tamaño quieres que tengan tus fotografías.

- En el caso de que solamente necesites imágenes en tamaño pequeño (alrededor de 9 x 13 centímetros), será suficiente con una resolución de 1525 x 1076 píxeles.

Para un tamaño de 13 x 18 centímetros necesitas una resolución de 1525 x 2272. Con la máxima resolución que la *Canon Digital Ixus 400* permite, no podrías ampliar ninguna imagen a 20 x 30 centímetros con suficiente nitidez, ya que para eso serían necesarios 3627 x 2424 píxeles. No obstante, la calidad de las imágenes depende también del programa con el que la cámara las carga. Mediante esos programas, los datos de imagen se comprimen más o menos. De esta manera, la *Ixus 400* puede conseguir también imágenes para una ampliación a 20 x 30. Aprende cómo conseguirlo en el siguiente apartado.

Adaptar la calidad de imagen

Según la calidad que quieras para tus fotografías, puedes ajustar en la cámara el mencionado "**factor de compresión**". En la *Canon Digital Ixus 400* funciona de la siguiente manera:

1 Enciende la cámara presionando el botón de encendido en la parte superior del aparato.

2 Empuja entonces el botón hasta la posición de captura (hacia la derecha) ●

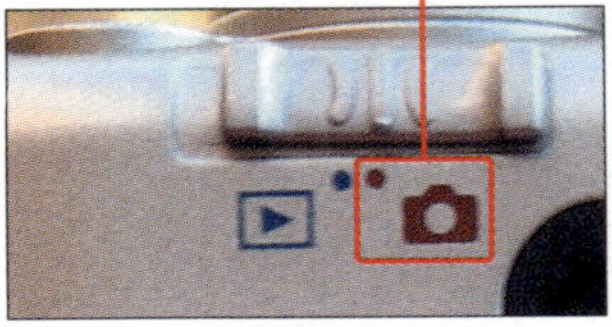

y la ruedecilla de selección en la segunda posición ●.

3 Presiona seguidamente la tecla de Función ●

y después cuatro veces en el botón inferior ●,

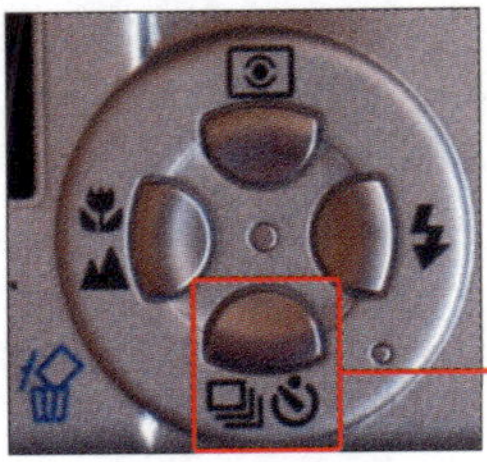

hasta que aparezca en la pantalla la indicación para el ajuste de la

compresión ●.
Ahora verás indicado que en el modo "Fina" se pueden guardar 27 imágenes en la tarjeta de memoria.

4 Si aprietas la tecla de la izquierda ●,

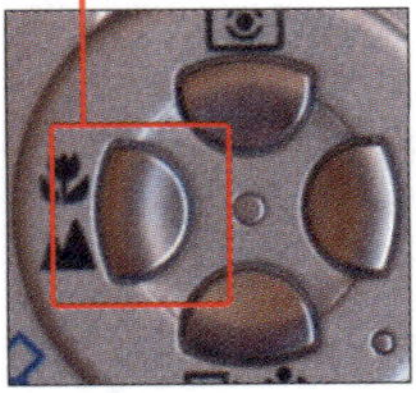

colocarás la compresión en modo "Superfina," y entonces sólo cabrán 14 imágenes en la memoria ●.

5 En el caso de que quieras tomar muchas instantáneas de tamaño 9 x 13 centímetros, presiona una vez en la tecla inferior. ●

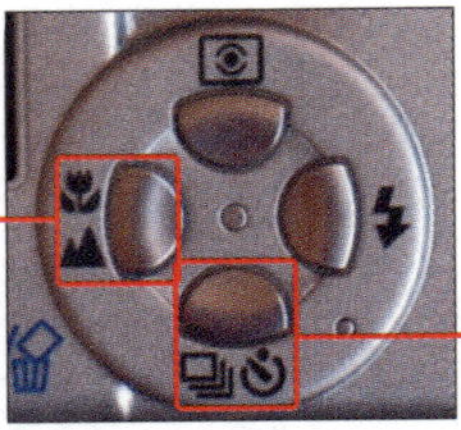

Apretando de nuevo el botón de la izquierda ●,

conseguirás que con esta baja resolución (640 x 480 puntos) sea posible almacenar muchas más fotografías en la tarjeta de memoria de la cámara *Ixus*.

6 Para que el modo que hayas escogido sea registrado por la cámara, aprieta una vez más sobre la tecla ●.

El visor digital y el óptico

La mayoría de las cámaras digitales tienen un **visor óptico** y otro digital. Con el visor óptico puedes fijar el objeto que desees, igual que en una cámara tradicional (analógica). Pero las cámaras digitales añaden además la pantalla de control, que puede ser usada también como **visor digital**.

- Puesto que la *Canon Digital Ixus* 400 es tan pequeña (9,6 x 6,1 x 3 centímetros), el visor óptico ocupa muy poco espacio ●.

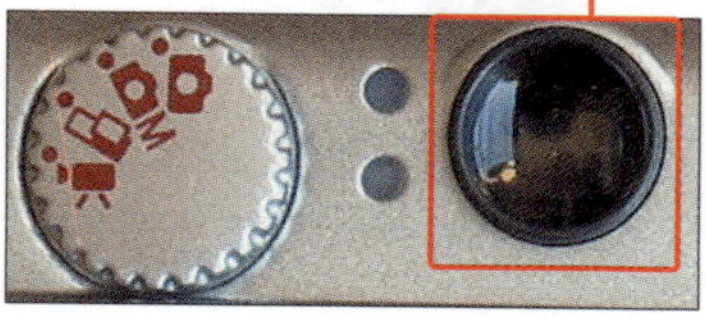

También está un poco desplazado respecto al eje de imagen del objetivo.

Es por esto que el encuadre que ves a través del visor no siempre coincide con la imagen fotografiada. Este molesto efecto se nota especialmente cuando te acercas mucho al objeto que quieres fotografiar.

- Para evitar este problema, se puede utilizar la pantalla de control también como visor ●.

De esta manera, el encuadre que ves en la pantalla coincidirá con la fotografía que hagas. Esta es una de las ventajas de las cámaras digitales. Pero por desgracia, la pantalla también tiene un fallo: cuando el sol brilla directamente sobre ella, no se puede ver nada de lo que aparece en la misma.

Eliminar fotografías

Una buena foto depende en gran medida de un correcto encuadre. Por eso, en caso de duda, debes controlar el encuadre las veces que sean necesarias para modificarlo si hace falta o para borrar por completo una foto no deseada. Nada más sencillo que eso:

1 Enciende la cámara, si es que está apagada, apretando de forma prolongada el botón de encendido ●.

2 Empuja ahora el botón hacia la izquierda (flecha azul) ●.

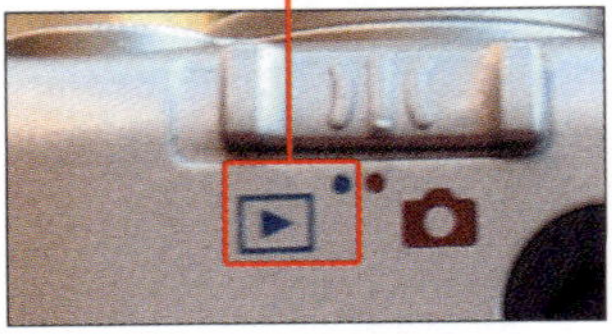

3 En la pantalla se ven las fotografías que has hecho. Puedes hacerlas aparecer sueltas, una por una, apretando sobre la tecla ●.

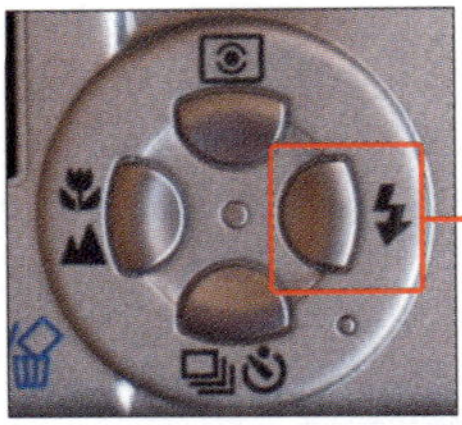

4 Si una de las fotos no cumple tus expectativas puedes borrarla. Para ello presiona la tecla ●.

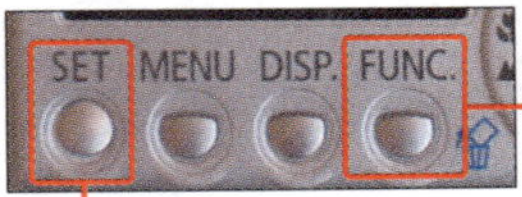

5 Finalmente, aparece en la pantalla la opción de borrar imágenes por separado.

Se borrará la foto indicada, en el momento en que aprietes el botón ●.

La tarjeta de memoria

En una cámara digital, los datos de las imágenes tomadas se archivan por lo general en tarjetas de memoria intercambiables. En algunas cámaras baratas hay solamente una memoria instalada que no puede ampliarse. La *Canon Digital Ixus 400* viene acompañada de una tarjeta de memoria con 32 megabytes de capacidad.

No obstante, esta tarjeta puede ser sustituida por otra con mayor capacidad de almacenamiento.

- Hay tarjetas CF de hasta varios **gigabytes**. Ya que la tarjeta de 32 megabytes con la que viene dotada la *Ixus* te resultará seguramente demasiado pequeña para tus necesidades, deberías adquirir una tarjeta de al menos 64 megabytes. Y en el caso de que hagas muchas fotografías durante las vacaciones, sería una buena elección incluso una de 128 megabytes.

- Independientemente del tipo de tarjeta, tropezarás siempre con un problema. Cuando antes tomabas fotografías con tu cámara de fotos tradicional, era muy sencillo: seleccionabas bien lo que querías fotografiar y apretabas el disparador. Justo después ya podías disparar la siguiente foto. Con una cámara digital, todo esto tarda un poco más. Se debe a que los datos tienen que ser primero leídos por completo, después comprimidos y luego archivados en la tarjeta de memoria. Este proceso dura unos 8 segundos en la *Ixus*. Ése es el tiempo que hay que esperar hasta poder tomar la siguiente fotografía.

- Aunque las tarjetas de memoria de la *Ixus* son muy robustas, debes tratarlas con cuidado. Si no lo haces, podría suceder que nunca más pudieras acceder a las imágenes grabadas y que tuvieras que formatear la tarjeta de nuevo. Por eso nunca dejes la tarjeta a pleno sol. También demasiada humedad puede sentarle mal a la tarjeta. Y los pisotones por descuido, desde luego, no los soporta muy bien.

2 La conexión con el ordenador

No tiene mucho sentido mirar las fotos de tus vacaciones en la pequeña pantalla de la cámara fotográfica. El ojo tiene que esforzarse demasiado. En el monitor de tu ordenador, en cambio, ahí sí que resaltan las imágenes. Y ahí puedes arreglarlas completamente a tu gusto y luego, por ejemplo, imprimirlas o enviarlas por **e-mail**.

Todas las cámaras digitales vienen acompañadas de programas especiales con los que puedes traspasar tus imágenes al ordenador. El único obstáculo consiste en que antes tienes que instalar esos programas. A partir de la página 20 encontrarás una explicación de cómo hacerlo de la forma más fácil.

Como en la tarjeta de memoria de la cámara digital no hay precisamente mucho espacio para tus imágenes, tienes que ir vaciándola de vez en cuando para hacer sitio a nuevas fotos. Puedes eliminar fotografías directamente en la cámara o traspasar primero las imágenes al ordenador y entonces borrarlas de la tarjeta. Ambos métodos se explican en este capítulo.

Sumario de la sección

Conexión entre cámara y ordenador

Para establecer la conexión con el ordenador necesitas, por un lado, un cable de la cámara al ordenador y, por el otro, en el ordenador, una conexión **USB**, que permite el traspaso de archivos de imagen.

- La cámara digital suele venir acompañada de un cable USB. La clavija más ancha del cable

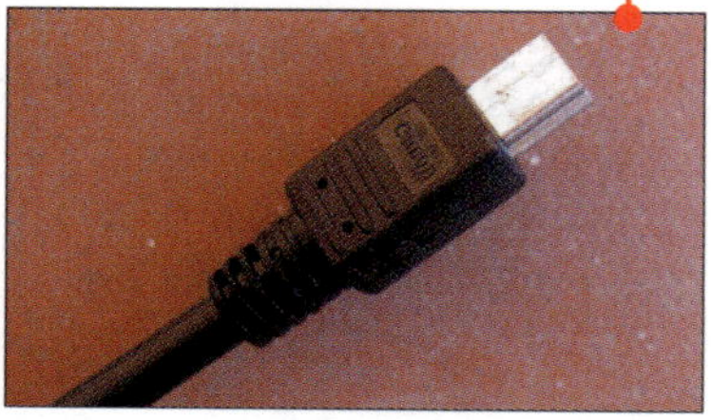

se enchufa en la conexión USB del ordenador.

Esta conexión se encuentra normalmente en la parte de atrás del ordenador.

- La clavija pequeña del cable

hay que colocarla en la conexión correspondiente en la cámara digital. En la *Ixus*, se encuentra en uno de los lados de la cámara,

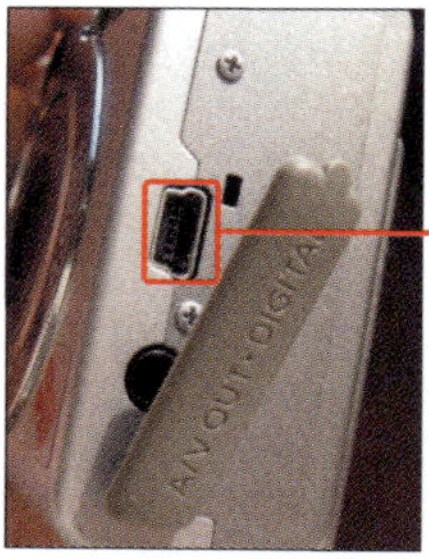

debajo de una tapa de goma.

Traspaso de las imágenes al ordenador

Una vez establecida la conexión entre la cámara y el ordenador, es muy sencillo traspasar las imágenes de una al otro. En **Windows XP** ya hay instalados algunos pequeños programas que sirven para realizar esta tarea.

1 Después de conectar cámara y ordenador mediante el cable, en-

ciende tu *Canon Digital Ixus 400*. Después empuja el botón que hay en la parte de atrás de la cámara hacia la izquierda (flecha azul) ●.

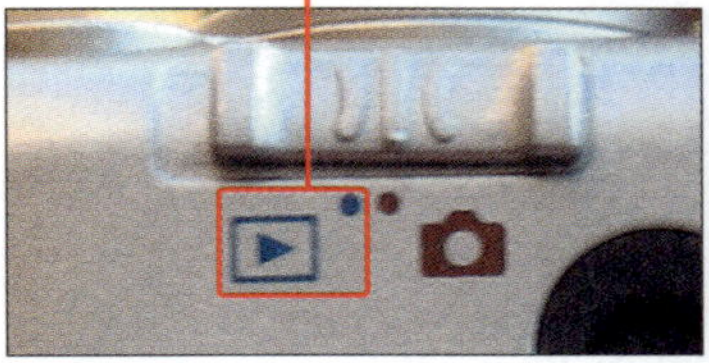

2 Cuando la *Ixus* está encendida, Windows XP la reconoce.

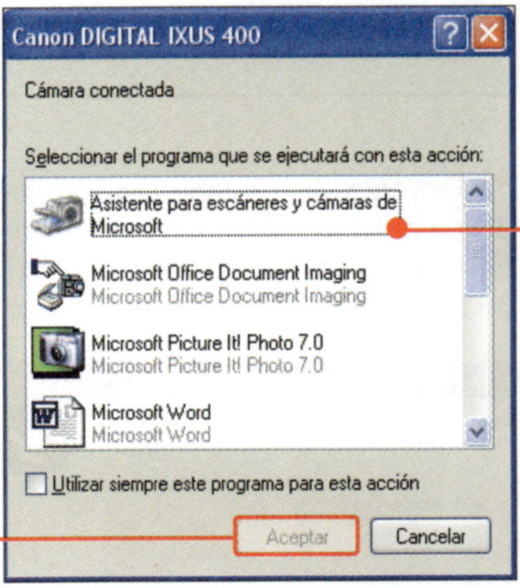

En la ventana que se abre, haz click en el enunciado siguiente ● para marcarlo ●,

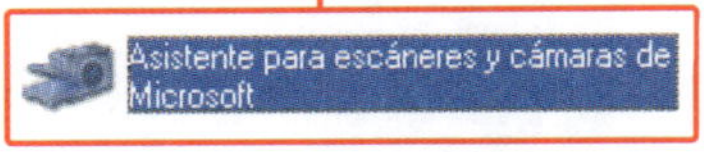

y confirma tu selección con un click sobre ●.

3 Entonces aparecerá la ventana de bienvenida del **asistente** de Windows para el escáner y la cámara,

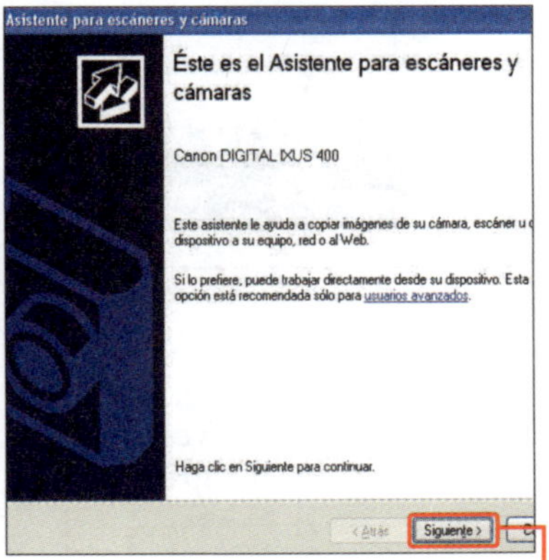

que sólo tienes que confirmar con un click sobre ●.

4 Finalmente, se muestran las fotografías que haya almacenadas en la cámara ●.

Normalmente todas las imágenes aparecen como seleccionadas. Lo puedes distinguir por la pequeña marquita verde al lado de cada imagen.

Si no quieres volcar una determinada foto de la cámara al ordenador, pincha en la marca verde de esa imagen para que desaparezca

y la foto no se traspasará al ordenador, tal y como deseas. Cuando hayas hecho tu selección, haz click sobre Siguiente >.

5 En la siguiente ventana puedes darle un nombre a la carpeta donde se guardarán las imágenes. También puedes dejar el que aparece por defecto. Después haz click otra vez sobre.

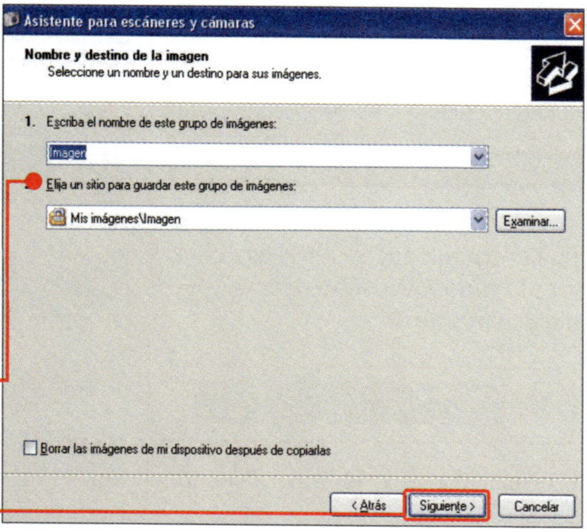

6 Las fotografías seleccionadas se copiarán en la carpeta que hayas determinado.

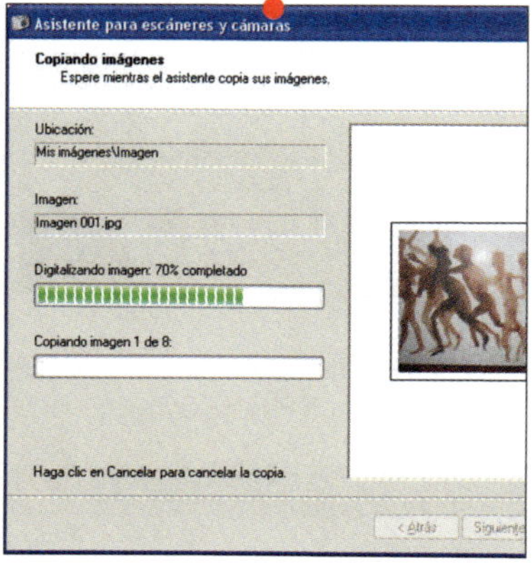

7 Después de terminar con el traspaso tienes la oportunidad de empezar a tratar tus imágenes. Si prefieres dejarlo para más tarde, haz

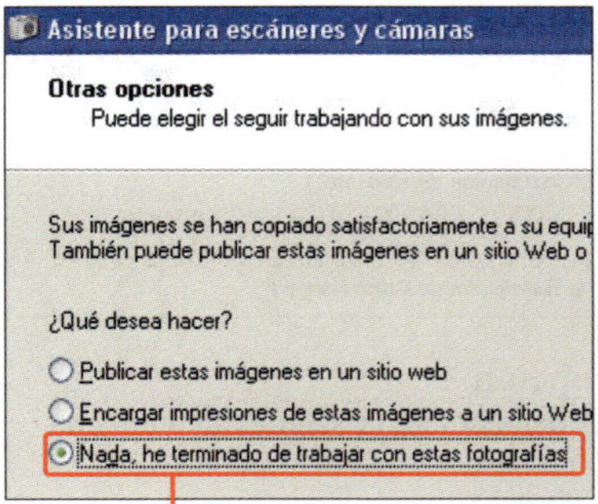

click en
y finalmente pulsa sobre Siguiente >.

8 Para finalizar el asistente del escáner y la cámara es suficiente con un click sobre .

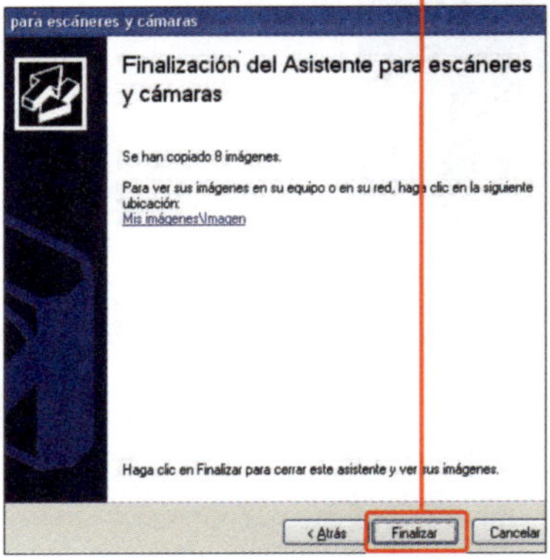

Los programas de la cámara

La mayoría de cámaras digitales se distribuyen con sus propios programas. También puedes traspasar las fotos de una cámara al ordenador con el recurso que viene de serie en Windows XP, tal como hemos explicado en el apartado anterior. Pero con los programas de las cámaras, todo este proceso es más cómodo. Además, la mayor parte de las cámaras traen también programas para el tratamiento de imágenes, con los que podrás sacar más partido de tus fotos fácilmente. Aprende ahora cómo se instalan esos programas.

! El orden en la instalación es importante

Cuando se conectan otros aparatos con el ordenador, hay que seguir normalmente un orden determinado en la instalación de los programas necesarios. En el caso de la *Ixus*, la cámara no se conecta con el ordenador mientras se estén instalando aún los programas.

Instalación de los programas de conexión

Junto con la *Canon Digital Ixus 400* se entrega también un CD con los programas de conexión.

1 Introduce "Canon Digital Camera Solution Disk" en la unidad de CD-ROM.
Si el CD-ROM no se inicializa automáticamente, pulsa sobre Inicio

y después sobre el menú

situado en la **barra de Inicio** de tu ordenador para que se abra la siguiente ventana,

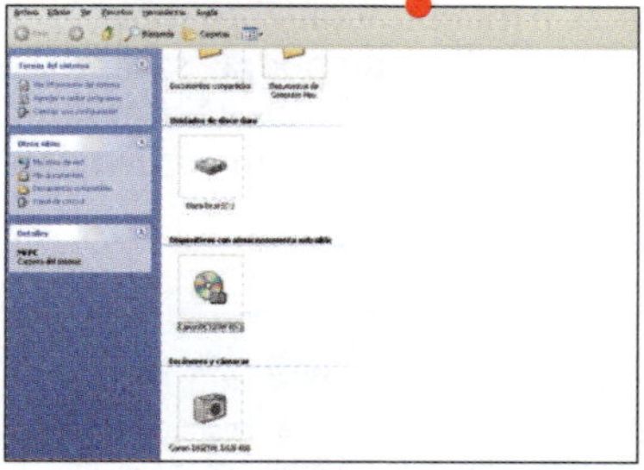

e inicia el programa de instalación con un **doble click** en el **icono** de la unidad de CD-ROM.

2 En la primera ventana del programa, selecciona con un click el idioma español.

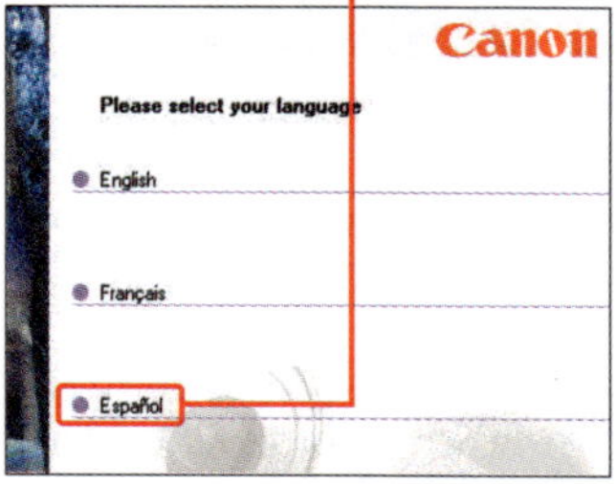

3 En la ventana que viene a continuación, pincha en la primera

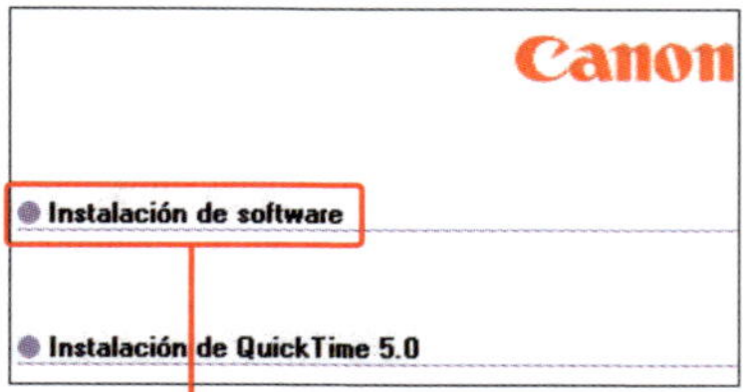

opción
y aparecerá la siguiente ventana.

4 Para comenzar la instalación del programa de conexión basta con hacer click en esta ventana sobre el botón.

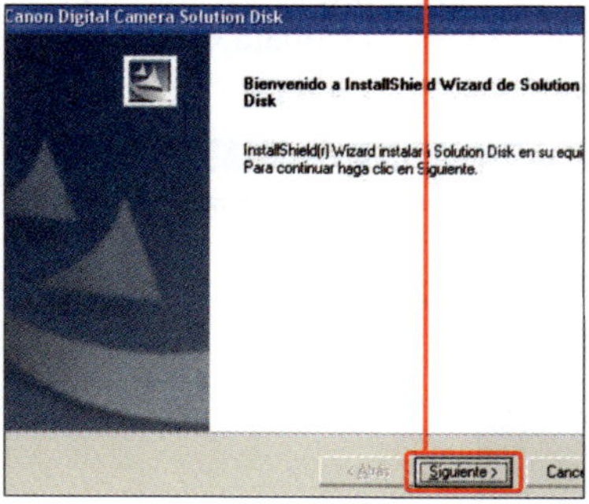

5 Más adelante pincha sobre la opción

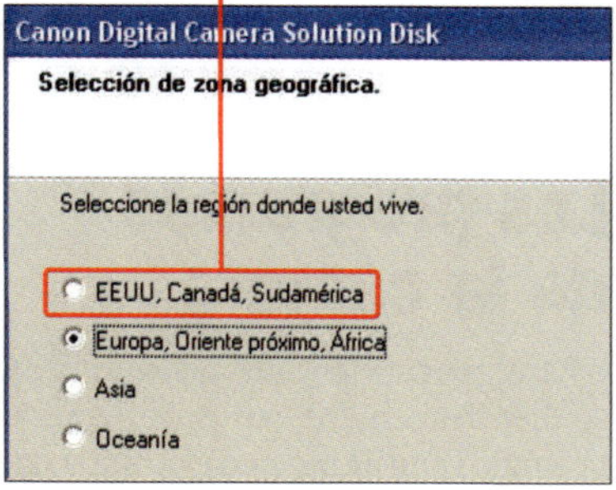

y para confirmar haz de nuevo click en el botón Siguiente >.

6 Ahora selecciona el país, en este caso España

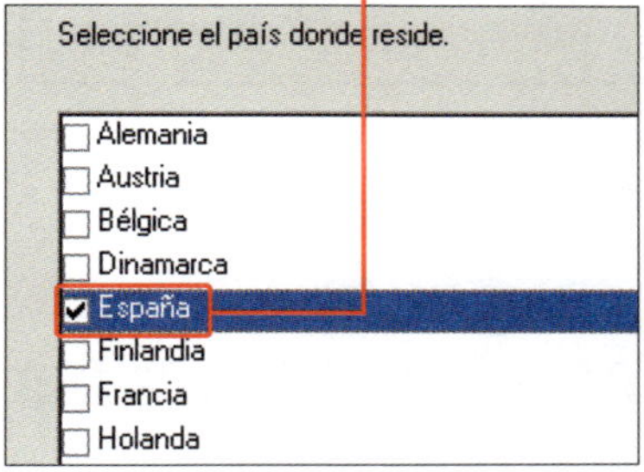

y pulsa nuevamente sobre el botón Siguiente >.

7 Léete con tranquilidad el contrato de la licencia que se muestra a continuación y consiente mediante un click sobre .

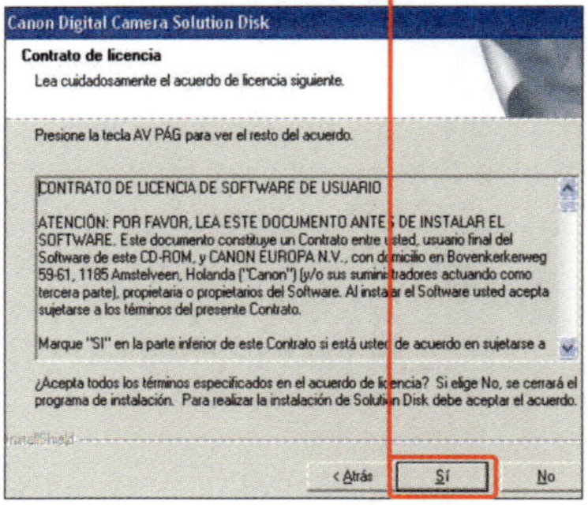

8 En la siguiente ventana se mencionan diferentes modelos de cámaras digitales. En el caso de que tu modelo (en este caso, la *Canon Digital Ixus 400*) no apareciese, pincha en esta casilla .

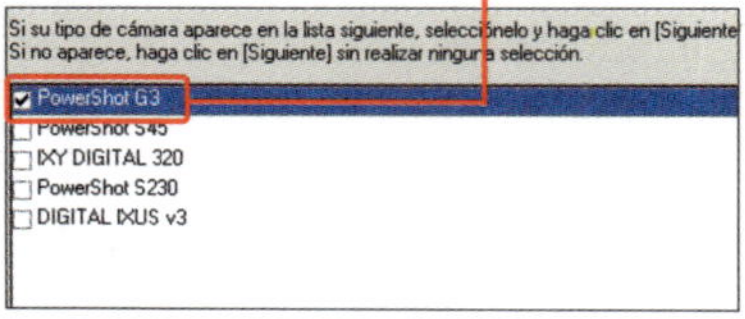

9 El próximo paso es confirmar una ubicación para guardar el programa. Para ello, pulsa sobre .

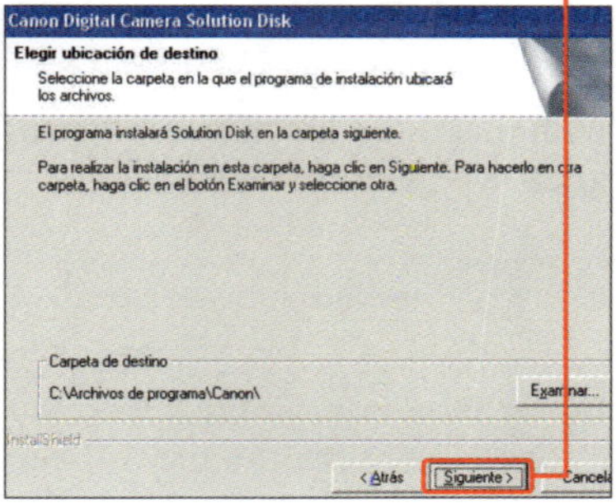

10 También la instalación de todas las partes del programa se debe confirmar con un click en .

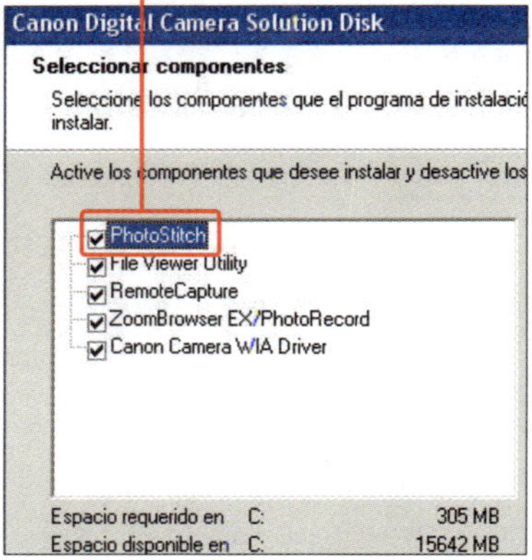

11 Por último, aparece un resumen de tus indicaciones. Cuando des tu conformidad en esta ventana mediante un click en el botón ●,

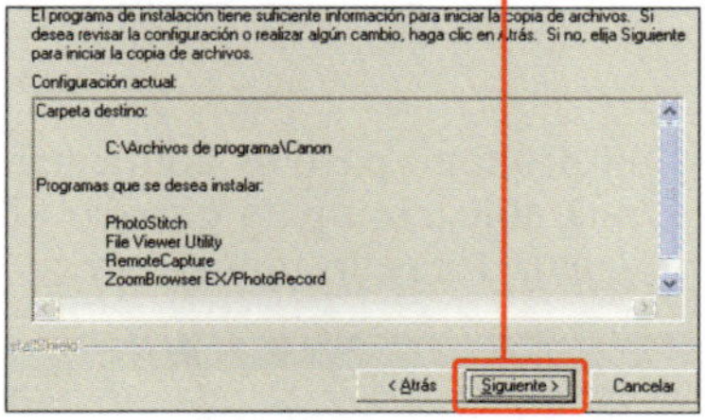

comenzarán a instalarse los programas ●.

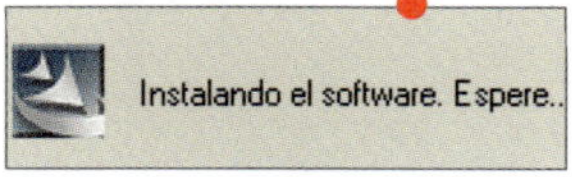

12 Para completar la instalación, será necesario que **reinicies** tu ordenador. Para ello, en la última ventana, haz click sobre [Finalizar].
Entonces tu ordenador se reiniciará y así los programas de la *Ixus* estarán ya a tu disposición.

! Selección de cámara

Si tu modelo de cámara figura en la lista del paso 8, simplemente haz click sobre el nombre correspondiente y después sobre [Siguiente]. Normalmente, todas las cámaras incluyen un CD de instalación.

Traspasar imágenes con los programas

Si has seguido las instrucciones del apartado anterior y tu ordenador se ha reiniciado, encontrarás un nuevo símbolo en tu **Escritorio**: ●.

Con este programa puedes traspasar las imágenes de tu cámara digital al ordenador muy fácilmente.

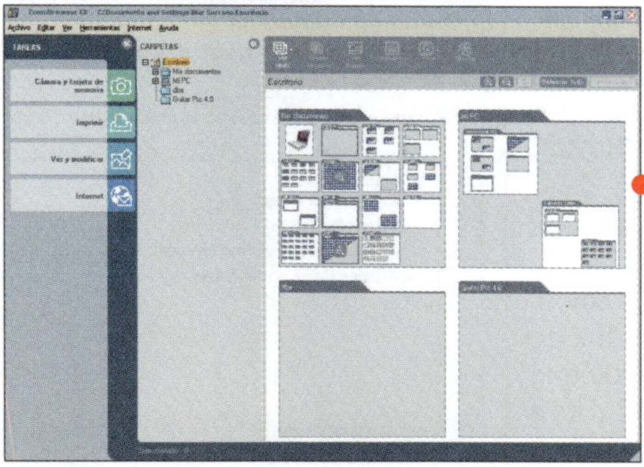

1 Abre con un doble click sobre el icono anterior el programa del mismo nombre ●.

2 Conecta tu cámara digital al ordenador mediante el cable USB y enciéndela. Mueve entonces el botón de la parte posterior de la cámara hacia la izquierda, es decir, hacia la flecha azul ●.

3 En la ventana principal del programa "Zoombrowser EX", en el área de tareas, pulsa sobre la opción ●

y aparecerán varias opciones para esta tarea concreta. Selecciona con un click la opción ●.

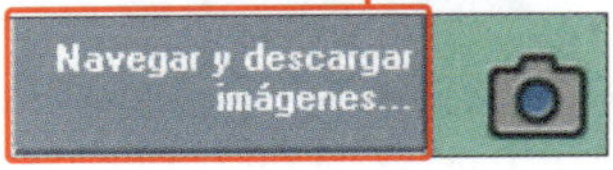

4 A continuación se abre una nueva ventana y aparecen las fotografías de tu cámara digital ●.

Con la ayuda de la **barra de desplazamiento** ● puedes ir pasando las imágenes para poder verlas todas.

5 Cuando haces click sobre una imagen, el recuadro de esa foto cambia de color ●.

De esta manera estás seleccionando una imagen para traspasarla al ordenador.

6 Pincha sobre todas las fotos que quieras traspasar a tu ordenador y después haz click en la opción ●.

7 Ahora puedes ubicar en tu ordenador una nueva carpeta para las fotografías ●.

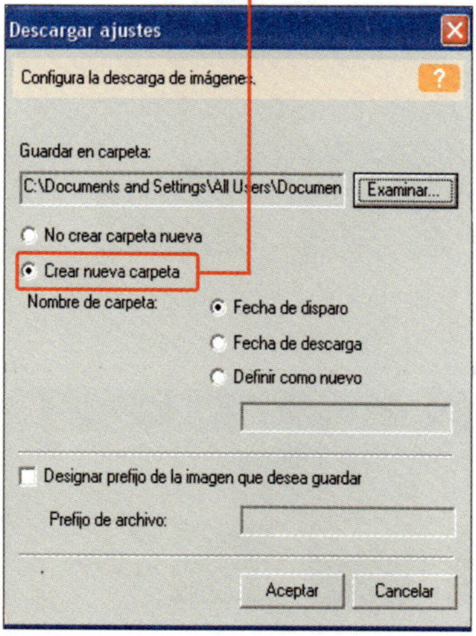

Si mantienes lo que está predeterminado, se creará una subcarpeta con la fecha actual. Con un click sobre [Aceptar], las imágenes se traspasarán a esa carpeta ●.

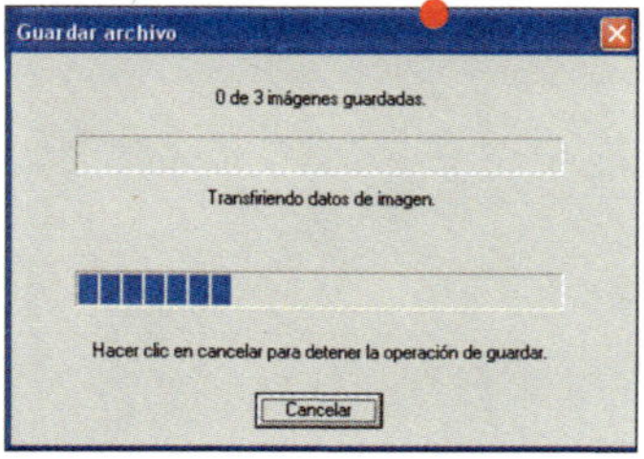

8 Una vez finalice el traspaso de las fotos, las encontrarás en tu ordenador en la nueva carpeta ●.

En esta carpeta figurará automáticamente la fecha en la que las fotos fueron descargadas ●.

A partir de este momento, podrás transformar las imágenes a tu gusto e imprimirlas. Cómo hacerlo, te lo mostramos con detalle en los capítulos 4,5 y 6.

Borrar imágenes en la cámara

Como el espacio para guardar fotografías en la tarjeta de memoria de la cámara digital no es ilimitado, tienes que borrarlas regularmente antes de poder guardar las nuevas.

En el primer capítulo ya has visto cómo se eliminan fotos justo después de hacerlas.

Pero también puedes guardar primero tus imágenes en el ordenador con el programa "Zoombrowser EX", tal como te hemos mostrado en el aparado anterior, y borrar luego las fotos con el mismo programa. Para ello tienes que seguir los siguientes pasos:

1 Conecta otra vez la cámara con el ordenador y ponla en marcha. Al haber instalado ya el programa de la cámara, aparecerán varias opciones disponibles .

Sólo tienes que pinchar sobre la entrada correspondiente al programa

y ya se pueden traspasar tus imágenes al ordenador como acabamos de describir en el anterior apartado.

2 Si en el área de tareas del programa escoges la opción ,

aparecerán las fotos que hay en la cámara .

3 Ahora tienes la posibilidad de borrar determinadas imágenes. Para hacerlo, pincha con un click la foto que quieras eliminar .

Entonces la imagen se marca y, debajo, en la barra de funciones, incluso los iconos de tratamiento de la imagen, que antes estaban ensombrecidos ,

se muestran ahora claramente resaltados .

Eso quiere decir que ahora los botones están listos para que se puedan utilizar.

4 Para eliminar la foto que hayas seleccionado, simplemente tienes que hacer click en el botón ●.

5 Pero antes de eliminar la foto, todavía aparecerá un aviso de alerta. Para dar la conformidad bastará con que hagas un click en ●.

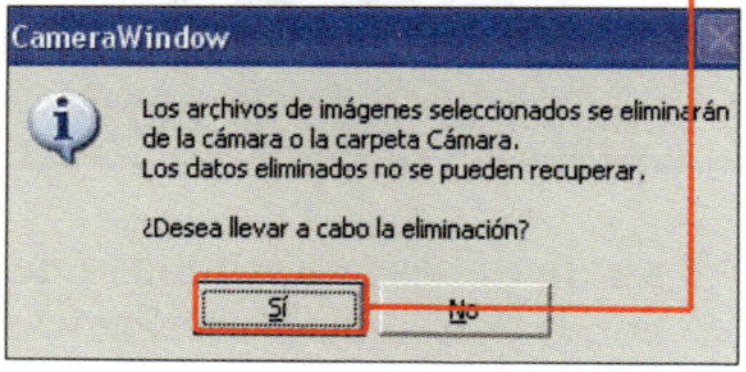

6 En el caso de que no quieras borrar solamente imágenes sueltas, sino todas las fotografías, pulsa en la barra sobre el botón ●

y entonces, en el menú que se abrirá a continuación, escoge la opción ●.

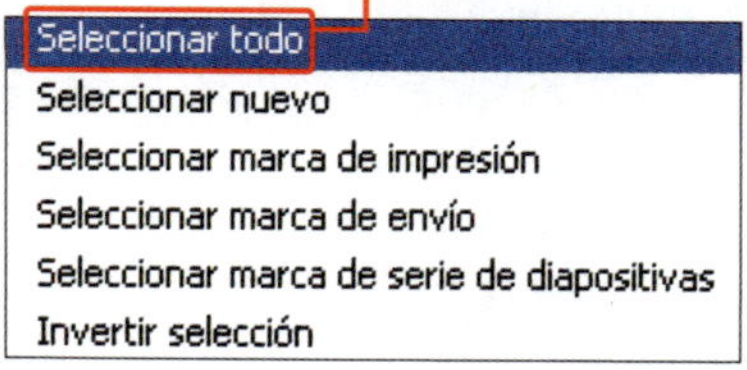

7 Automáticamente, quedarán marcadas todas las fotos de la cámara ●,

y si haces click sobre la opción ●

será suficiente para borrar el conjunto de imágenes.

8 Para finalizar el programa, pincha en la cruz de cierre ●

antes de desenchufar el cable de la cámara o del ordenador. Si no lo haces así, aparecerá una ventana de aviso ●

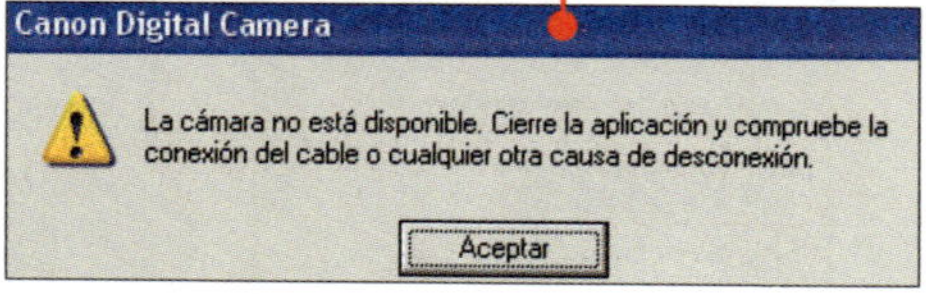

que tendrás que confirmar con un click sobre Aceptar.
Por motivos de seguridad, siempre tienes que cerrar primero los programas, antes de interrumpir la conexión. Si no, podría suceder que se perdiesen datos.

3 Fotos perfectas con la cámara digital

Igual que en las cámaras analógicas, también en las digitales existen grandes diferencias entre las posibles prestaciones de cada una de ellas. Los aparatos sencillos son suficiente en general para congelar recuerdos y para tomar instantáneas de buenos momentos durante las vacaciones. Pero a menudo, los resultados decepcionan después. ¿La gente aparece con los ojos rojos? ¿Ha salido totalmente oscura justo la parte más importante? ¿O la amiga en la playa, bastante movida? Entonces sólo tienes que "jugar" un poco con los ajustes de la cámara para que todo vuelva a recuperar sus colores y su nitidez. Para ello, por suerte, no es necesario que tengas los conocimientos especializados de un fotógrafo. Basta únicamente con prestar atención a un par de detalles. Sobre todo las cámaras digitales modernas, como la *Canon Digital Ixus 400*, ofrecen muchas posibilidades para evitar una mala fotografía.

Sumario de la sección

Descubrir todas las prestaciones

Las cámaras digitales modernas como la *Canon Digital Ixus 400* tienen tanta calidad y son de tan fácil manejo, que con ellas puedes lograr hacer buenas fotos muy pronto y de forma automática. Pero siempre hay situaciones en las que es mejor apagar el modo automático para sacar más provecho de tus fotos.

Del modo automático al manual

Normalmente, la cámara digital está ajustada en el modo automático. Para cambiarlo a manual tienes que girar un poco la rueda que hay en la parte trasera del aparato. Como puedes ver, en la rueda de ajustes hay dos dibujos de una cámara ●.

El dibujo correspondiente, con su punto rojo, tiene que estar siempre exactamente alineado con la marca negra. Por ejemplo, ●.

1 Cuando el primer dibujo que representa una cámara (el que no tiene la "M") está alineado ●, quiere decir que la cámara está en posición automática.

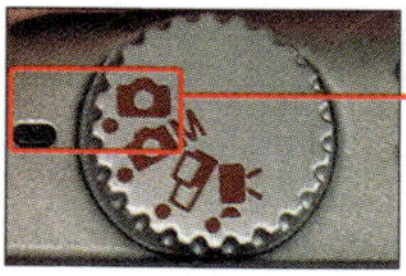

Entonces, en la pantalla de control no aparecerá ningún icono de ajustes ●.

2 Para colocar el aparato en modo manual, gira la ruedecilla hasta que el segundo dibujo que representa una cámara esté alineado con la marca negra ●.

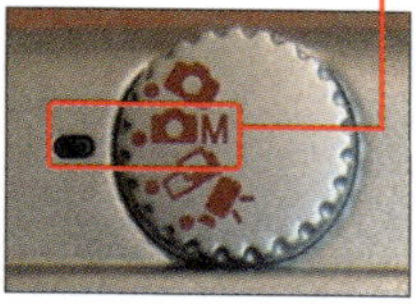

En ese momento se harán visibles en la pantalla diferentes posibilidades de ajustes ●.

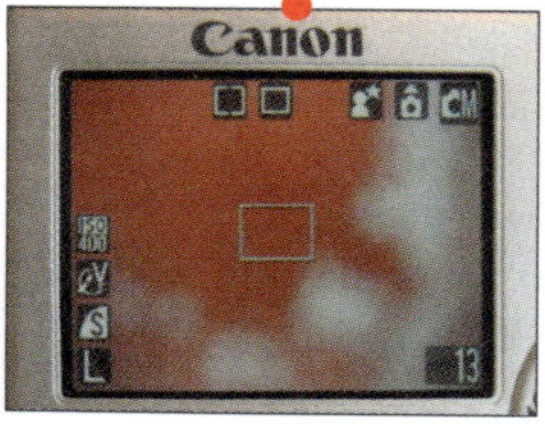

La medición de la luz

Las cámaras digitales disponen generalmente de una medición automática de la luz. En ese modo automático se consigue en la mayoría de los casos una buena iluminación de las imágenes. Pero en determinadas situaciones, por ejemplo con un fuerte contraste de claroscuro, los resultados se pueden mejorar con el modo manual. Los diferentes modos de medición se pueden alternar fácilmente.

1 Por defecto, en tu cámara está activada la denominada "Medición evaluativa de la luz". De esta manera se mide automáticamente la luz en varios puntos del objeto fotografiado y se calcula con esos datos el mejor ajuste posible. En el modo manual puedes ver si este modo de medición de luz está activado.

2 Si quieres iluminar con más intensidad un objeto que está en el centro de la imagen porque es más importante que las otras partes de la foto, puedes hacerlo fácilmente cambiando el modo de medición de la luz. Si quieres restringir la medición a una determinada parte del objeto sólo es necesario un único paso: mantén apretada la tecla superior del anillo de ajustes

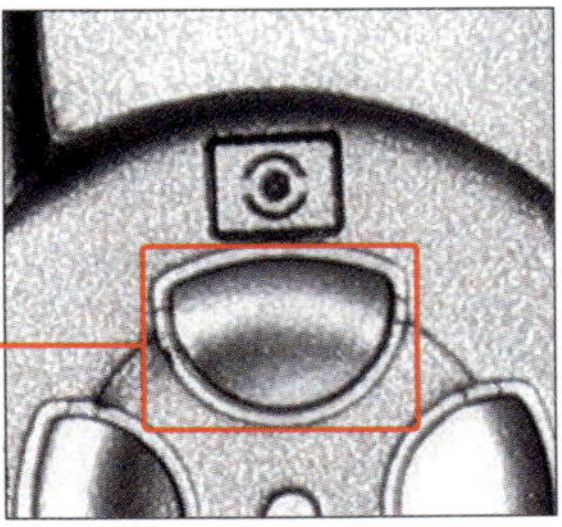

hasta que aparezca en la pantalla el icono de medición de luz en el modo "Medición promediada con ponderación central".

En esta posición, se realiza un promedio de la luz de toda la imagen, pero se da mayor importancia a la parte central. Este modo de medición lo puedes utilizar cuando quieras que lo que haya en el centro de la imagen esté más iluminado que el resto.

De esta manera, las partes exteriores que rodean al objeto principal, tendrán menos importancia que éste.

3 Un objeto importante que no aparece en el centro de la imagen y está en una zona de fuerte contraste de claroscuro, se puede hacer resaltar con la llamada "Medición puntual AE". Este modo de medición de luz resulta apropiado, sobre todo, en caso de que el objeto esté iluminado por detrás (a contraluz) o se encuentre en un ambiente especialmente luminoso (como en la playa a pleno sol).
Para colocar el modo correspondiente, mantén apretada otra vez la tecla superior del anillo de ajustes

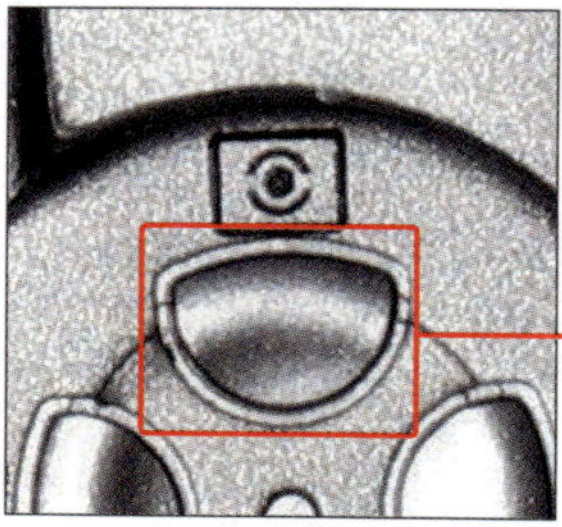

hasta que aparezca en la pantalla el icono de la "Medición puntual AE":

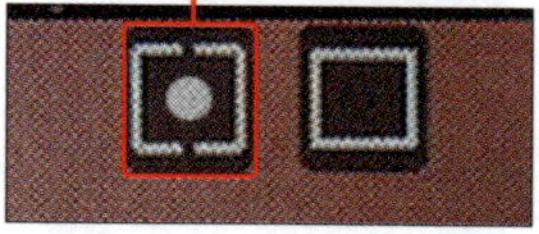

En este caso sólo se mide la parte de imagen que se encuentra dentro del "campo de medición" .
Pulsa suavemente el disparador hasta el primer tope para que la cámara calcule la iluminación general. Entonces, sin dejar de mantener apretado el disparador puedes mover la cámara y elegir el detalle que quieras destacar sin perder el encuadre anterior. Para hacer la foto con ese encuadre sólo tienes que apretar el disparador hasta el fondo.

Hacer fotos en cada situación

Para hacer fotos tanto a considerable distancia como muy de cerca, la mayoría de cámaras digitales disponen de un objetivo zoom. Gracias a él puedes "acercar" objetos sin tener que desplazarte. Sólo tienes que mover según tu gusto la palanca .

1 Si giras la palanca hacia este símbolo ●,

alejas el objeto que quieras fotografiar (**Gran angular**) ●.

2 Si giras la palanca en sentido contrario, hacia este otro símbolo ●,

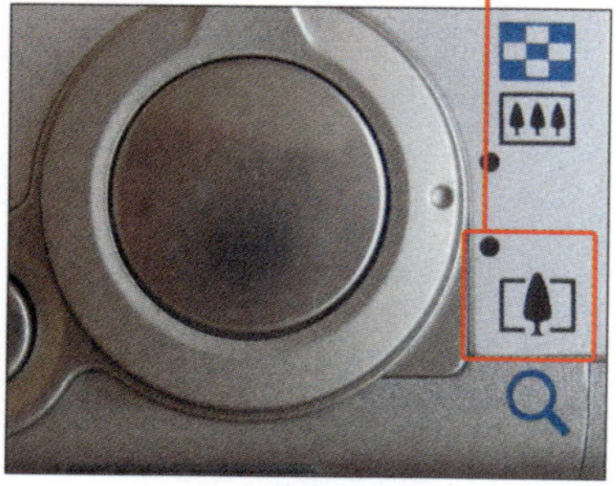

! Zoom digital con trampas

Como explicamos en el primer capítulo, la *Canon Digital Ixus 400* tiene un zoom óptico triple, suficiente para tomar fotografías de objetos alejados de la cámara. Deberás tenerlo en cuenta cuando la calidad sea lo más importante. Sólo este zoom óptico garantiza una buena calidad de las imágenes. Si en cambio, utilizas manualmente el llamado zoom digital, la imagen pierde mucha nitidez ya que sólo se calcula un fragmento de la misma.

acercas el objeto (**Teleobjetivo**) ●.

Formatos vertical y horizontal

Las fotos que hagas con tu cámara digital no son cuadradas sino rectangulares y por eso son más anchas que altas.

Esto se convierte en realidad en una ventaja si el objeto que quieres encuadrar es muy alto, como por ejemplo un faro.

En ese caso, sencillamente puedes girar la cámara y llenar el encuadre con el objeto.

El ajuste macro

Hay objetos a los que hay que acercarse mucho para obtener un resultado fotográfico satisfactorio. Para conseguirlo, tu cámara digital dispone del llamado ajuste macro. Con él puedes fotografiar de forma óptima pequeñas cosas como una mariposa o una flor.

1 Para poner tu *Ixus* en el modo macro, pulsa la tecla correspondiente en el anillo de ajustes.

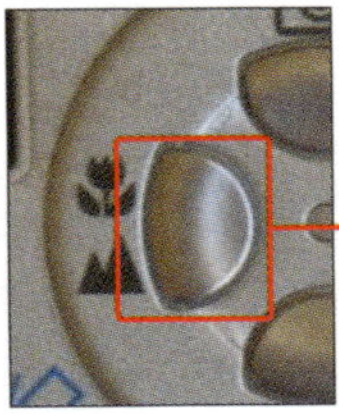

En la pantalla de la cámara podrás ver el símbolo del macro.

En esta posición puedes tomar fotos de objetos a una distancia de hasta 5 centímetros.

2 Puedes usar el modo macro junto con la función zoom que ya vimos en el primer capítulo. En el caso de que coloques la opción de teleobjetivo y luego utilices la función macro, podrás enfocar con nitidez en un margen de entre 30 y 46 centímetros. Si, en cambio, optas por el gran angular como objetivo, tendrás un margen en el que verás el objeto nítido, de entre 5 y 46 centímetros.

> **! Visor inexacto**
>
> Con la posición macro siempre tienes que encuadrar el objeto que quieres fotografiar a través de la pantalla de control, y no mediante el visor óptico, ya que lo que se ve a través de éste último, a poca distancia, no coincide con el verdadero encuadre que hace el objetivo. Por tanto corres el peligro de que el objeto no esté encuadrado correctamente.

El disparador automático

A menudo se ven carretes enteros de fotos de vacaciones en los que siempre falta la misma persona. Normalmente se trata del que hace las fotos. Pero con el **disparador automático**, el fotógrafo también puede aparecer en la imagen. La *Ixus* cuenta con un disparador automático electrónico muy fácil de utilizar.

1 En el anillo de ajustes, aprieta el botón inferior para el disparador automático.

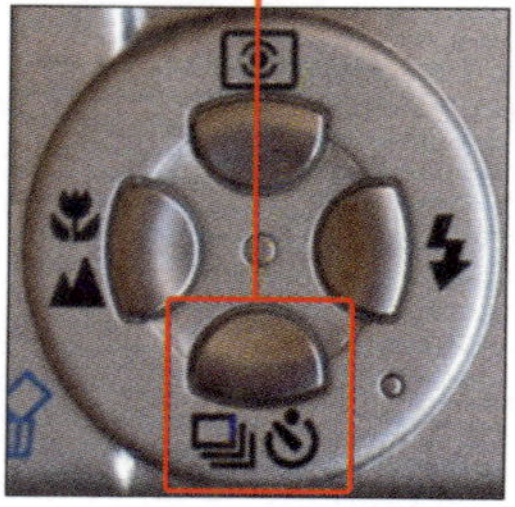

A continuación, puedes ver en la pantalla el icono que indica que el disparador automático está listo.

2 En cuanto aprietes el disparador, tienes 10 segundos para colocarte delante de la cámara.

Para indicar que el disparador automático está activo, unas luces en la cámara parpadearán.

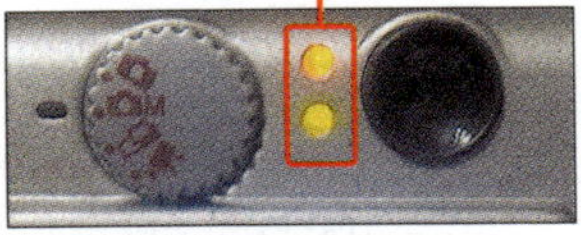

De esta manera podrás demostrar por fin que ¡tú también estuviste en las islas Fidji!

La ayuda del flash

El **flash** no sirve solamente para hacer fotos al atardecer o en habitaciones con poca claridad. Si, por ejemplo, cuando hace un sol brillante quieres evitar sombras intensas, el flash de la *Canon Digital Ixus 400* puede prestarte un gran servicio.

1 En el modo automático de la cámara, el flash de la *Ixus* se activa automáticamente en cuanto hay oscuridad. Puedes reconocer en la pantalla ese ajuste automático por el icono que lo identifica.

2 Para cambiar esa posición pulsa la tecla del flash en el anillo de ajustes dos veces.

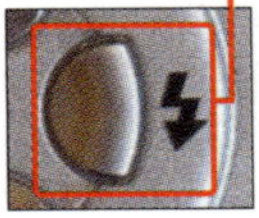

Entonces puedes ver en la pantalla el icono con una forma diferente,

que indica que el flash está apagado.

3 Si en la ruedecilla de opciones escoges la posición,

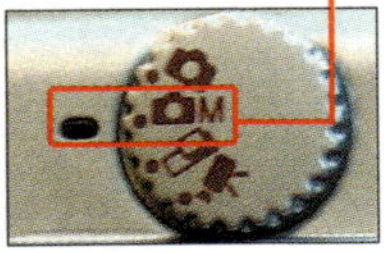

el icono en la pantalla cambia de nuevo.

La "A" (Automático) al lado del dibujo del flash ha desaparecido. En este modo, el flash se disparará cada vez que hagas una foto.

Igualar diferentes luminosidades

Donde hay mucho sol o un foco de luz directa, también hay sombras intensas. Esto significa que allí donde el sol no toca, los detalles de la imagen ya no son reconocibles. El problema se pasa a menudo por alto porque los ojos se acomodan a estas condiciones de luminosidad.

Sin embargo, quien se haya dado cuenta una vez, ya no estará nunca más satisfecho de muchas fotos.

En ese caso echará mano del flash para atenuar los fuertes contrastes en una fotografía, o sea las grandes diferencias de luminosidades.

Sólo necesitas utilizar el flash: las zonas de sombra intensa se aclararán y la foto estará iluminada de forma más homogénea.

Flash y consumo de batería

Debes usar el flash sólo cuando sea realmente necesario, ya que consume mucha batería.

En las mejores condiciones, puede que el flash tarde hasta 10 segundos en cargarse de nuevo para que puedas disparar otra fotografía. Para hacer una foto con flash justo después de haber hecho otra, sigue estos pasos:

1 Para disparar el flash, aprieta en primer lugar el disparador hasta la mitad.

2 Cuando se encienda de forma permanente la luz naranja de aviso,

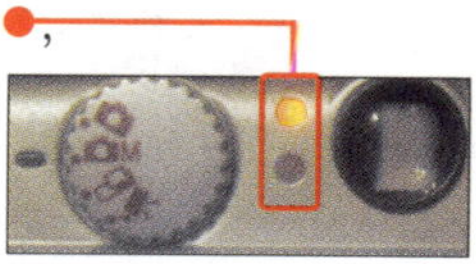

es que el flash ya está listo para dispararse en cuanto aprietes el disparador hasta el fondo.

Si vuelves a apretar el disparador justo después de hacer una foto con flash puede suceder que el disparador no reaccione en absoluto.

Evitar los ojos rojos

Si utilizas el **flash automático** cuando fotografías personas, a menudo te enfadarás después cuando veas en las fotos el desagradable efecto de "ojos rojos".

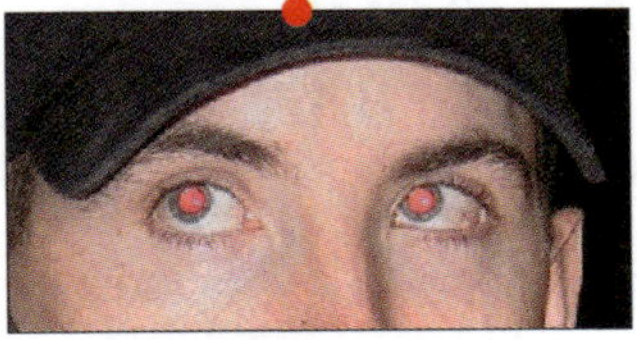

Para evitar este efecto puedes usar en tu cámara el **flash previo**. De esta manera, las pupilas de las personas fotografiadas se estrechan y no aparece el fondo rojo de los ojos. Los reglajes necesarios para esto se encuentran en el anillo de ajustes.

1 Al principio, el flash está normalmente en su posición automática.

Si pulsas la tecla del flash,

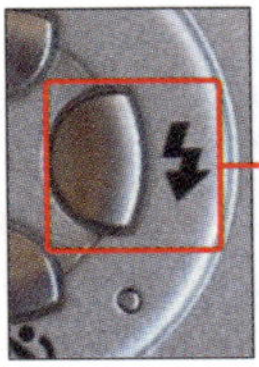

aparece en la pantalla el icono del flash previo.

2 Después de haber hecho la foto, empuja el botón hacia la izquierda (flecha azul).

Así puedes comprobar enseguida si el uso del flash previo ha tenido éxito.

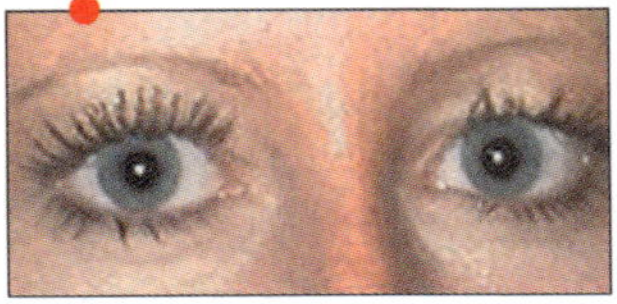

! Eliminar el efecto de ojos rojos después

Si has olvidado utilizar la función del flash previo todavía podrás eliminar el efecto de los ojos rojos con la ayuda de un programa de retoque fotográfico. Te mostraremos cómo en el capítulo 6.

4 El estudio fotográfico digital

No es cuestión de ir enseñando a todo el mundo las fotos de las últimas vacaciones en el monitor del ordenador. Sin duda, en muchos casos es mejor mostrar las imágenes en papel. Y para eso ya no necesitas buscar un laboratorio fotográfico, basta con dar vía libre a tu creatividad y dejar la impronta de tu propio sello en el resultado. Sólo precisas de una impresora de color y del papel adecuado. De momento, las **impresoras de chorro de tinta** de color ya están al alcance de todos los bolsillos. Pero si te decides por una impresora algo más cara debido a sus prestaciones fotográficas, como la "S830D" de Canon, el resultado apenas se diferenciará de una impresión profesional. Además, el manejo es tan fácil que podrás conseguir buenos resultados al poco tiempo de familiarizarte con ella. A esto hay que añadir que existe un papel especial para impresiones de fotos. Con él podrás obtener tus fotos en brillo o en mate, como tú prefieras.

Sumario de la sección

Una impresora fotográfica

Las **impresoras fotográficas** como la "Canon S830D", disponen de funciones especiales que sacan el mejor provecho de tus fotos.

Para la instalación de los programas que hacen posible estas funciones, las impresoras vienen acompañadas normalmente de uno o incluso de varios CDs.

Instalación de la impresora

La impresora fotográfica de Canon "S830D" se distribuye con dos CDs. En uno encontrarás el programa de instalación y el manual, y en el otro algunos programas adicionales.

Para la instalación de la impresora necesitas el "CD1" negro.

1 Después de enchufar la impresora a la corriente eléctrica y conectarla al ordenador con el cable USB, coloca el CD en la unidad de CD-ROM. Importante: ¡no enciendas todavía la impresora!

2 Si el CD no se inicia automáticamente, hazlo de forma manual. Con un click sobre Inicio y otro sobre Mi PC activarás la ventana ●.

Ahora puedes arrancar el proceso de instalación con un doble click sobre el icono del CD ●.

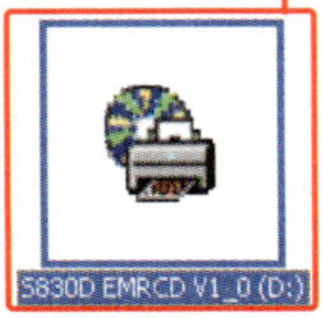

3 Primero tienes que leer el **contrato de la licencia** • y aceptar con un click en Sí.

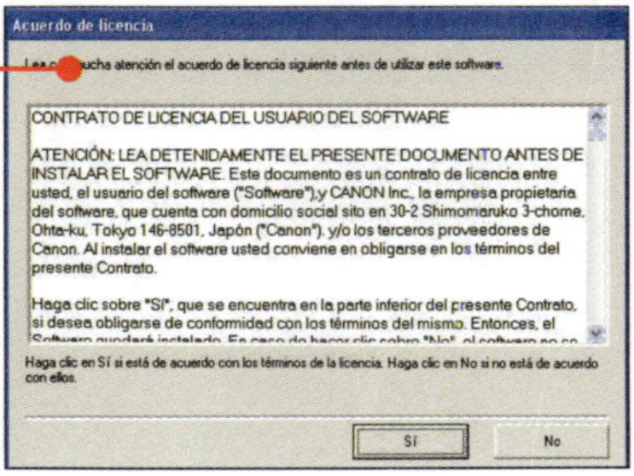

4 En realidad, inicias el proceso de instalación cuando pulsas en la siguiente ventana sobre •

5 A continuación, se copian en tu ordenador los archivos del nuevo **hardware**. En la siguiente ventana se te pide que enciendas la impresora •.

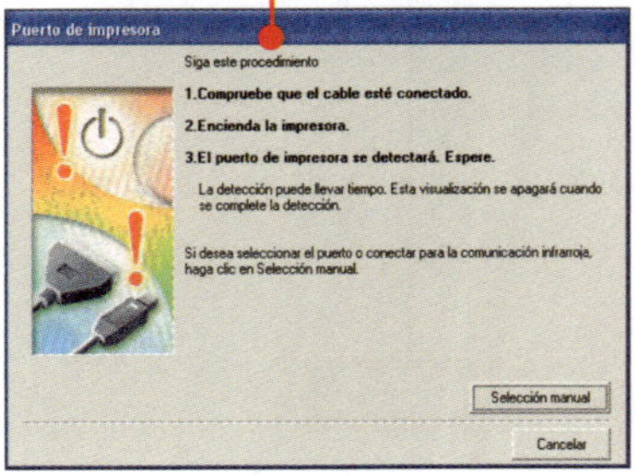

Hazlo pulsando simplemente sobre el botón de encendido •,

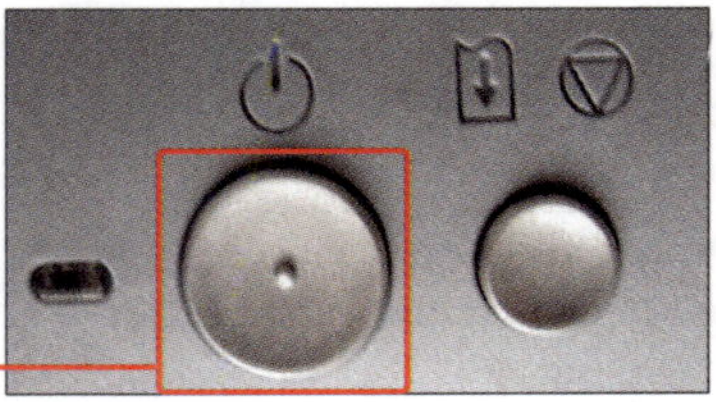

arriba a la derecha, en la impresora.

6 En cuanto Windows XP reconozca la impresora, lo cual tiene que suceder automáticamente, se copiarán los archivos que todavía sean necesarios •.

7 Para acabar, cierra el proceso de instalación del programa de la impresora con un click sobre •.

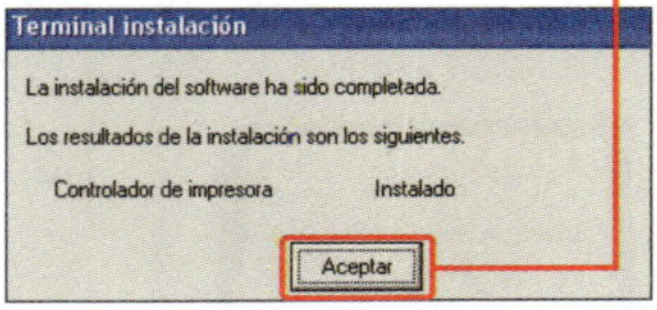

8 Después pincha, en la parte izquierda de la ventana, sobre ●.

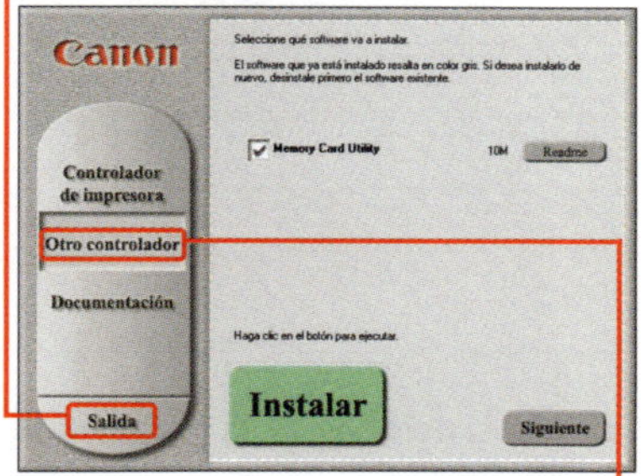

Si, en cambio, haces click sobre ● puedes instalar todavía otro programa de los que contiene el CD.

Instalación de los programas

Algunas impresoras, como la "S830D", disponen de una ranura para las tarjetas CompactFlash de cámaras digitales ●.

De este modo, pueden imprimirse directamente las imágenes almacenadas en tarjetas de este tipo ●.

1 Si quieres utilizar estas tarjetas de memoria, no finalices aún el programa de instalación tal como se describía en el paso **8** del apartado anterior. En lugar de esto, haz click de nuevo sobre el botón ●.

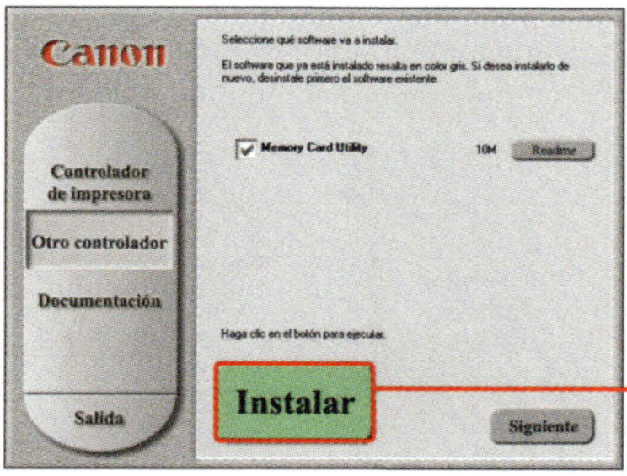

2 Así inicias el programa de instalación de las tarjetas de memoria, "Memory Card Utility/ Utilidad de Tarjeta de Memoria", en el caso de la tarjeta de memoria de Canon. Al terminar la instalación, totalmente automática, basta con pinchar sobre ●.

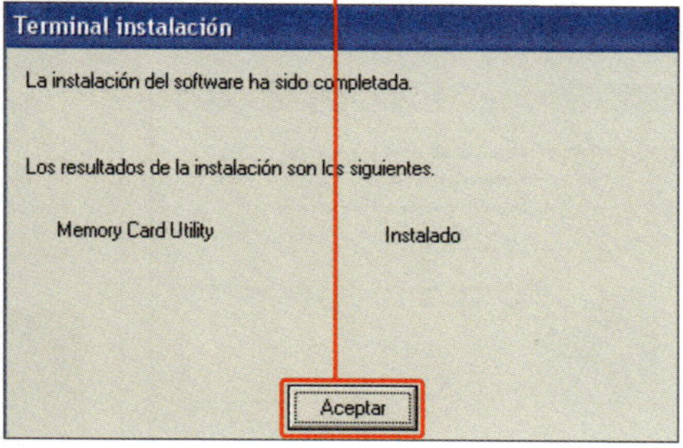

3 Para que puedas ver la documentación de tu impresora, haz click en la ventana siguiente

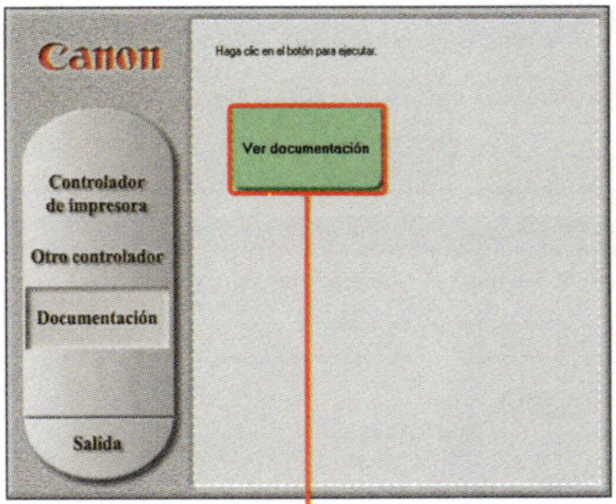

sobre ●, antes de cerrar el programa con otro click sobre **Salida**.

4 Verás que en la **bandeja del sistema** se ha instalado un nuevo icono correspondiente al **software** de la nueva tarjeta de memoria. Si pulsas sobre él, aparecerá una ventana con enlaces a diversa información y comandos ●.

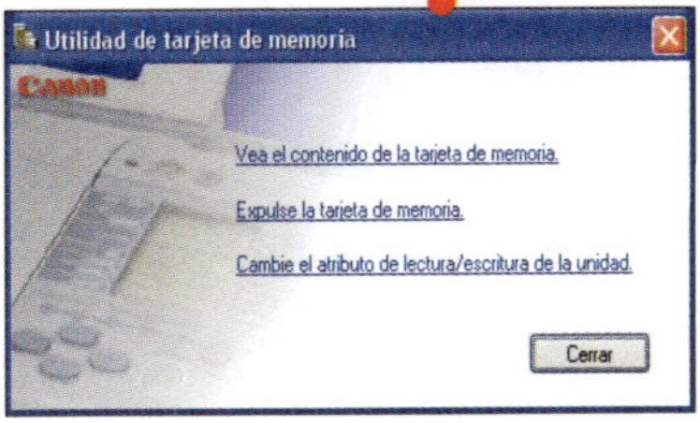

Alineación de los cabezales

Antes de poder utilizar tu nueva impresora fotográfica tienes que alinear los **cabezales** de la misma. Es una tarea ingrata cuando estás impaciente por estrenar tu nueva impresora, pero no te llevará demasiado tiempo y así te aseguras de que todos los textos y las imágenes se imprimen correctamente. Si vas a trabajar a menudo con fotografías, desde luego resulta imprescindible. Sólo tienes que seguir estos pasos:

1 Haz click sobre **Inicio** y luego sobre **Todos los programas** para abrir la carpeta **Accesorios** y pincha entonces, en la lista que aparece, por ejemplo sobre **Paint**.

2 En el programa de dibujo "Paint" que se inicia a continuación, pulsa en la barra del menú sobre ●

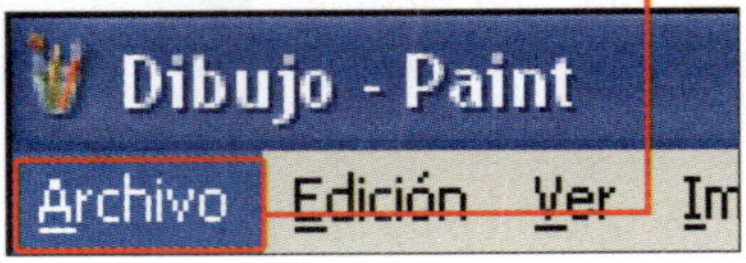

y selecciona de la lista de submenús, esta opción: ●.

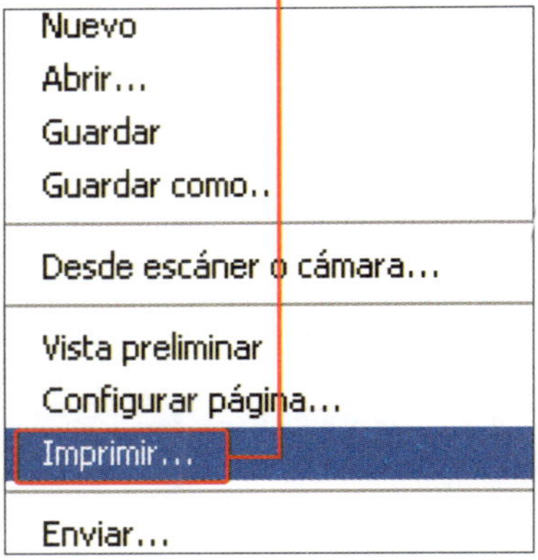

3 Como ya hemos dicho, te aparece un aviso de que es necesario la alineación de los cabezales. Pulsa sobre ● para aceptar el aviso.

4 A continuación, en el **cuadro de diálogo** que aparece ●, haz click en la **pestaña** ● Mantenimiento, correspondiente, al menú de mantenimiento.

5 En el nuevo cuadro de diálogo que se acaba de abrir, encontrarás finalmente la opción para alinear los cabezales ●. Sencillamente pincha sobre ella.

6 En este momento, se te pedirá en una ventana de aviso que coloques papel en la impresora ●. Una vez lo hayas hecho, haz click sobre el botón Aceptar.

7 Poco después aparece el aviso de que tienes que esperar hasta que la im-

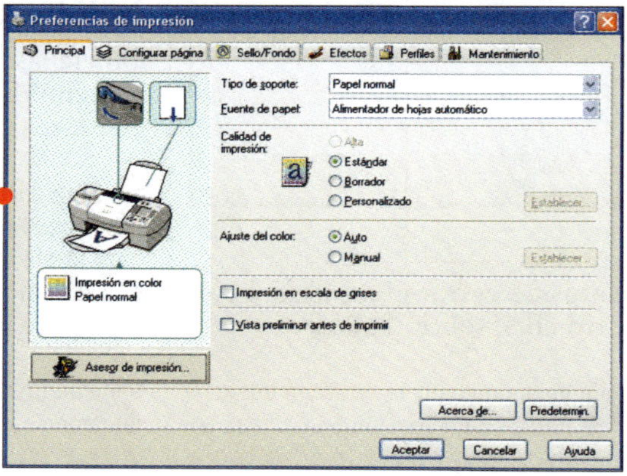

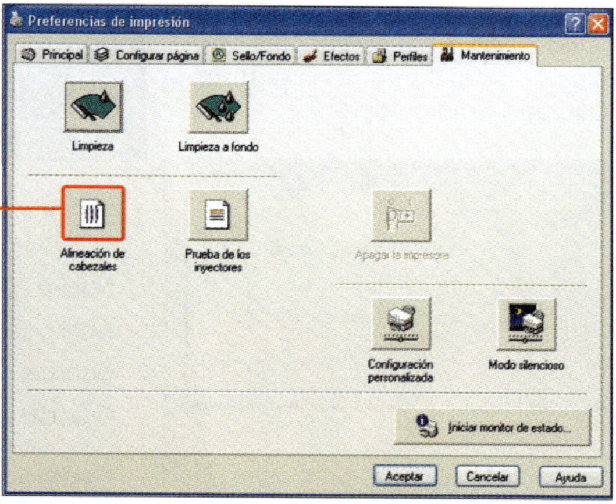

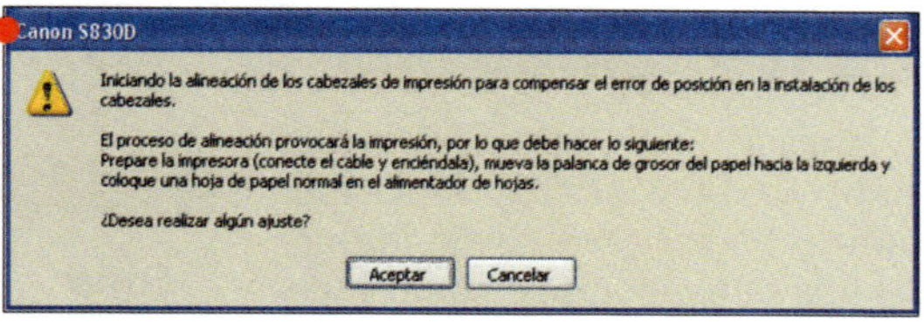

presión haya acabado antes de comenzar cualquier otra tarea.

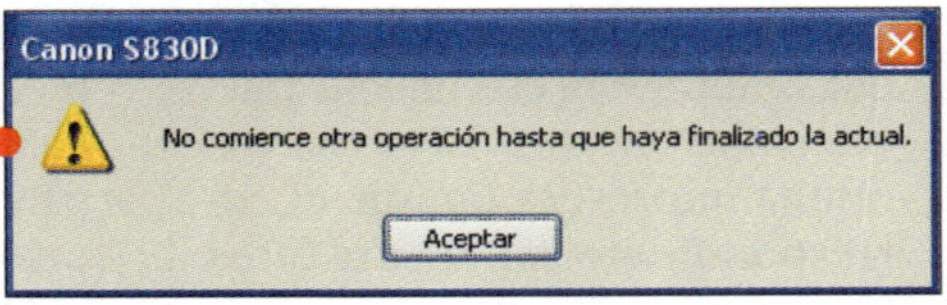

Cuando termine con éxito la impresión de la página de prueba, haz click sobre Aceptar.

8 Ahora se abre una ventana en la que se representa la página de ejemplo.

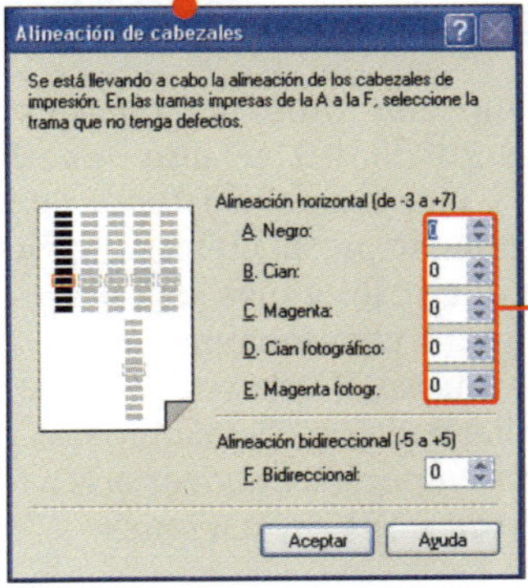

Fíjate bien en la página de prueba que se ha impreso,

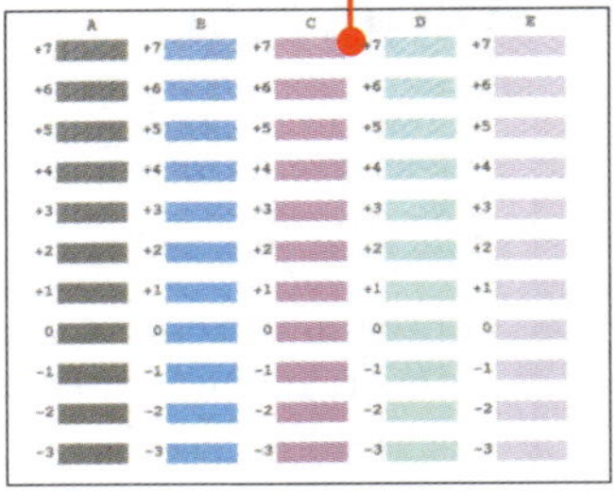

e introduce en las casillas de la página virtual los números que aparecen al lado de las tramas de colores que hayan salido menos rayadas en las casillas.

9 Cuando hayas registrado las cifras correspondientes para todos los colores, confirma tus datos con un click sobre Aceptar.

10 Finalmente, se te informará de que la alineación de los cabezales ha terminado.

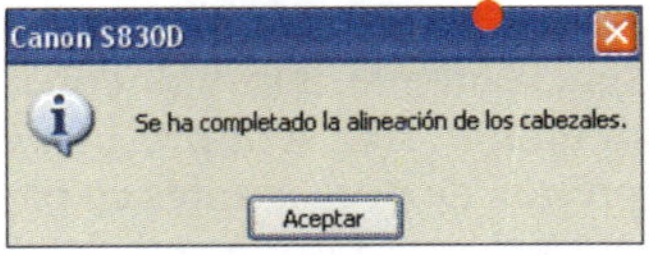

Un click sobre Aceptar es suficiente para cerrar la ventana informativa.

> **! Selección de programa**
>
> Cualquier programa desde el que se pueda imprimir, sirve para llevar a cabo la alineación de los cabezales. También puede ser, por ejemplo, Word. En todo caso, siempre se te avisará primero de que es necesario una alineación de los cabezales.

Un papel para cada caso

Para imprimir un texto puedes utilizar cualquier papel apropiado para las impresiones a chorro de tinta, de los que se venden habitualmente. Pero para imprimir fotos y gráficos, la cosa cambia totalmente.

- Con el papel del mismo fabricante que la impresora difícilmente puedes cometer errores. Por eso, para una impresora Canon, el correspondiente papel para fotos Canon es una buena elección.

- Pero también otros fabricantes ofrecen diferentes tipos de papel para impresión de fotos. Puedes probar asimismo con papeles más económicos. Tu impresora responderá.

- Si finalmente te decides por un papel caro, una buena medida es, sencillamente, imprimir con moderación. Haz siempre una impresión de prueba antes en papel normal para impresoras de chorro de tinta. Es cierto que el resultado no será tan bueno como en papel especial para fotos, pero al menos te podrás hacer una idea aproximada de cómo quedará la impresión después.

- La elección entre papel mate o brillante es cuestión de gustos. En papel brillante, los detalles aparecen con más intensidad, por lo cual es un papel muy apropiado para fotos con mucho color. El papel mate, en cambio, suaviza los objetos. Quien prefiera este acabado menos contrastado, hará bien en escoger el papel mate.

Imprimir con la impresora"S830D"

Imprimir fotos con la impresora "Canon S830D" es muy sencillo. Para empezar, el asistente de impresión te presta un buen servicio, ya que resulta más sencillo y cómodo ir viendo cómo se realizan los ajustes. Y una vez te hayas familiarizado con la máquina, ya podrás empezar a conocer más a fondo todas sus prestaciones.

El asistente de impresión

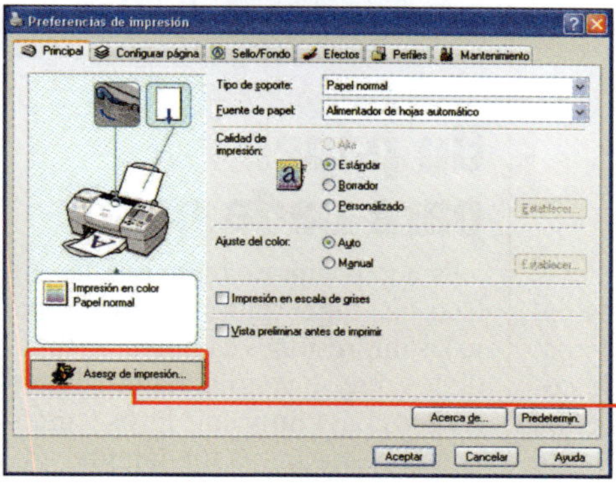

Si antes de imprimir, sigues todas las instrucciones del asistente de impresión de la "S830D" de Canon, conseguirás siempre excelentes resultados sin grandes esfuerzos.

1 Abre el asistente de impresión con un click sobre ● en la primera hoja del cuadro de diálogo de la impresora.

2 A continuación, se te pregunta si quieres imprimir fotos de calidad superior. Confirma esta opción con un click sobre [Siguiente].

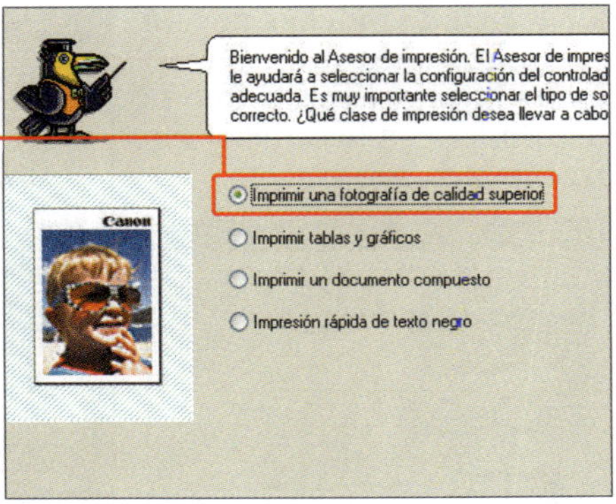

3 En la siguiente ventana puedes elegir el papel que quieres usar para imprimir tu foto. En el caso de que quieras utilizar papel profesional, puedes mantener la opción y pinchar después sobre el botón [Siguiente].

Pero, si por ejemplo, quieres utilizar papel con brillo para tus fotografías tendrás que marcar primero la opción correspondiente en el cuadro de texto, de modo que aparezca un punto en el círculo de al lado:

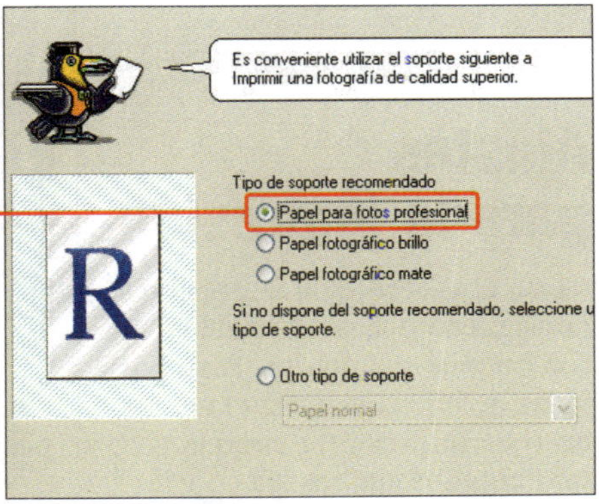

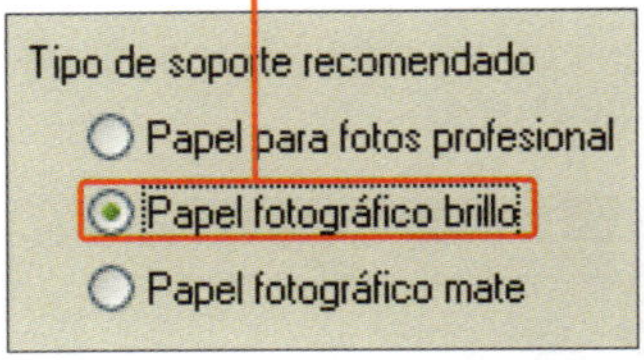

4 A continuacion, el asistente efectúa todos los ajustes deseados y ya sólo necesitas hacer un click sobre [Finalizar].

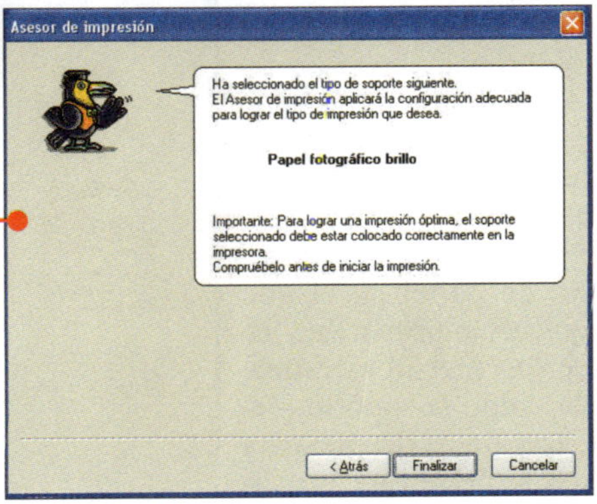

5 También en el cuadro de diálogo de la impresora, que aún está abierto, basta con un click sobre [Aceptar].

6 Y cuando pinches por fin sobre ● en la última ventana, tu foto se imprimirá con los ajustes correctos ●.

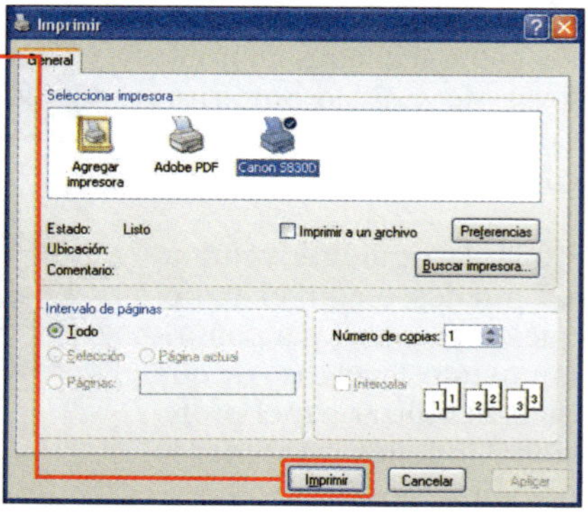

Ajustes para la impresión

Con el asistente de impresión se consiguen en la mayoría de los casos buenos resultados. Pero para guiar de forma más exacta el proceso de impresión deberías efectuar algunos ajustes manualmente.

1 En la primera ventana de ajustes de la impresora tienes un buen número de opciones a tu alcance ●. Primero selecciona el tipo de papel en el que quieres imprimir. Para hacerlo, en el área destinada al tipo de soporte, pincha sobre la flechita para que se despliegue una lista con distintas posibilidades ●,

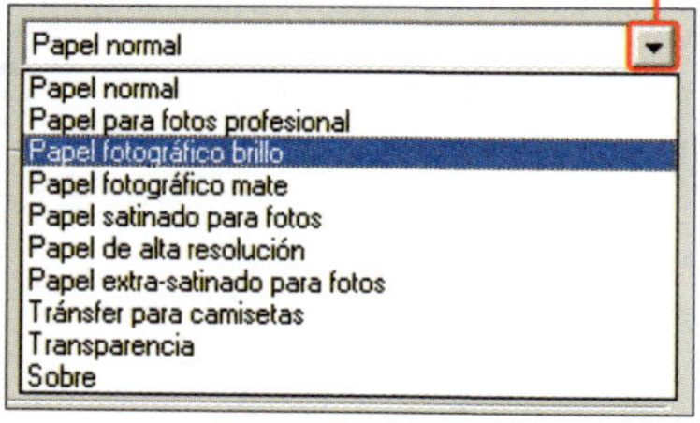

y elige con un click el tipo de papel que desees.

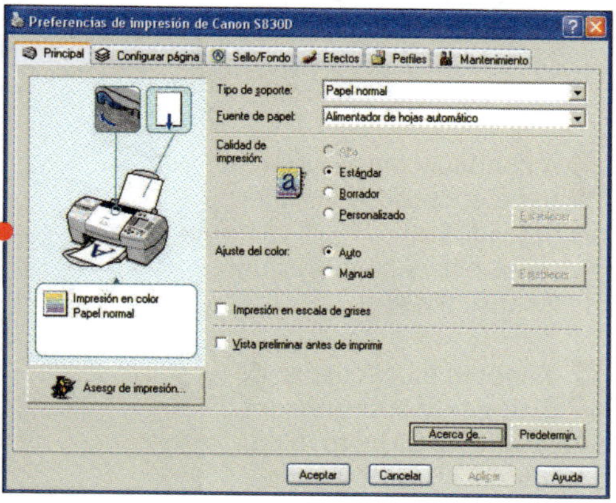

2 Pincha después sobre la pestaña

para que aparezca en la pantalla la hoja para los ajustes de papel.

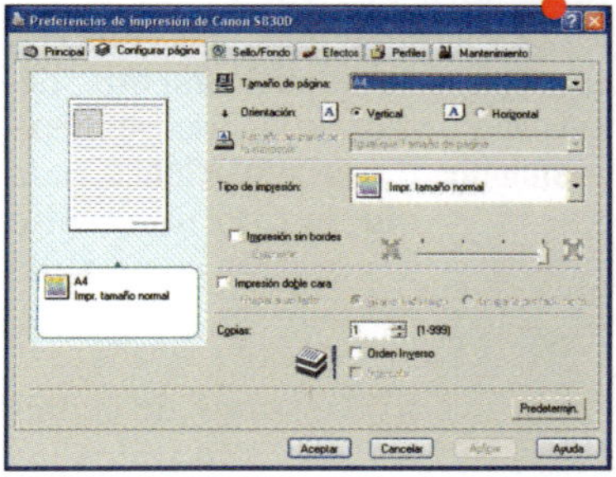

3 Con un click sobre la flechita situada al lado del área destinada al tamaño del papel,

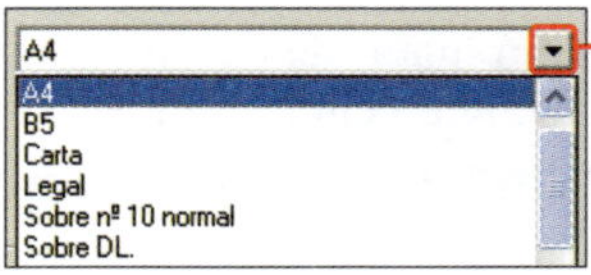

abres también una lista en la que puedes elegir un determinado tamaño del mismo.

4 Debajo de las opciones sobre el tamaño del papel, se encuentran las de orientación, que son dos: vertical u horizontal.

La orientación vertical está marcada por defecto. Para cambiarla, pincha en el círculo junto a la vertical y aparecerá marcado con un punto.

De esta manera seleccionas la orientación horizontal para la impresión que vas a realizar.

5 Para abrir la hoja dedicada a los efectos especiales de impresión, pulsa en la pestaña .
Ahora toca otra vez la "tortura" de las opciones.

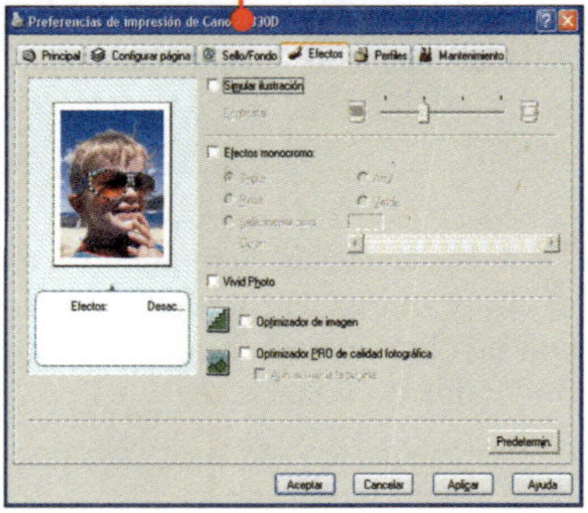

6 Si quieres que tu foto parezca una ilustración pintada a mano,

haz click en la casilla de la opción correspondiente, de modo que aparezca una marca ●.

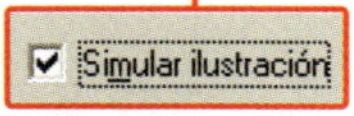

De la misma manera, también puedes determinar si quieres que la foto se imprima con efecto monocromo y, en ese caso, seleccionar el color predominante ●.

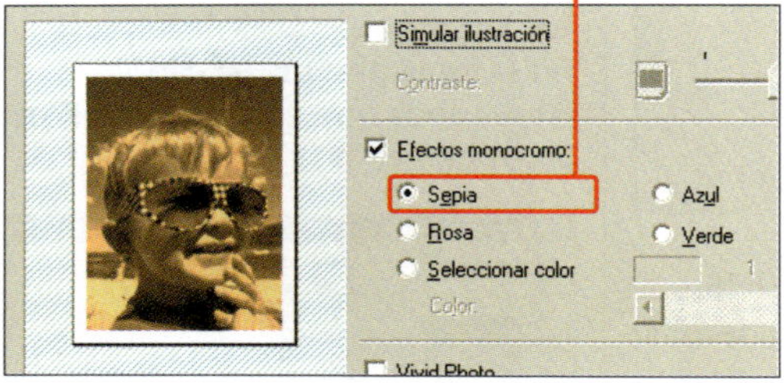

7 Si la calidad de tu imagen no es muy buena, la puedes mejorar con un click sobre la opción del optimizador de imagen ●.

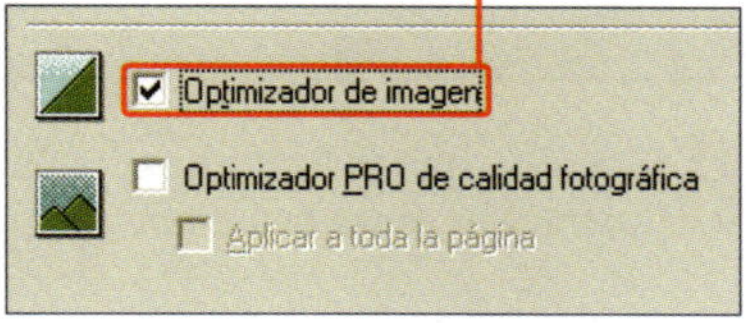

Así se reducirán las imprecisiones que pueda tener la fotografía.

8 Si en lugar de esto, pinchas en el optimizador PRO de calidad

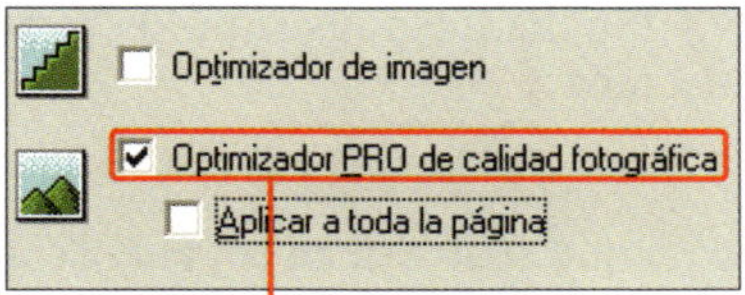

fotográfica ●, los desplazamientos de colores se equilibrarán automáticamente. Además se corregirán ligeras **sobreexposiciones** o **subexposiciones**, para que la foto no resulte demasiado clara o demasiado oscura.

9 Después de haber marcado todos los ajustes, pulsa sobre el botón Aceptar.

10 Para acabar, en la ventana de impresión que todavía está abierta, basta con un click sobre ●

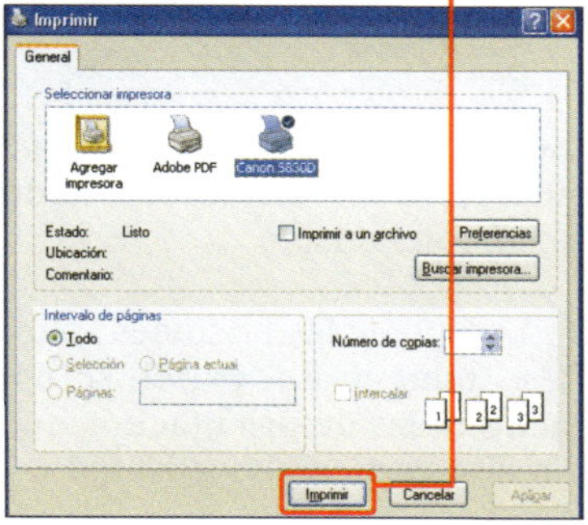

y tu foto se imprimirá tal y como hayas determinado.

5 Modificar y guardar fotografías

Probablemente conoces la situación: ya están hechas todas las fotos y traspasadas al ordenador, pero algunas no cumplen tus expectativas. Unas son demasiado oscuras y a otras les falta contraste. Luego hay fotos en las que se ven más cosas de las que tenías intención de sacar. Pero, por otra parte, también hay otras fotos que han salido tan bien que te gustaría usarlas como **fondo de Escritorio** en tu ordenador.

Con un programa de tratamiento fotográfico, que se distribuye normalmente junto con la mayoría de cámaras digitales, todos los problemas anteriores pueden solucionarse. En el caso de la *Canon Digital Ixus 400* se trata del programa gráfico "PhotoImpression" que, aunque no es un software profesional para el tratamiento de imágenes, resulta más que suficiente para la mayoría de modificaciones y, además, es de muy fácil manejo. En muy poco tiempo te familiarizarás con él y podrás transformar tus fotos y darles ese último toque de calidad para que parezcan tomadas por un profesional.

Sumario de la sección

Tratamiento de fotos con "Camera Suite"

El **sistema operativo** Windows XP sólo trae el programa "Paint" para el tratamiento de imágenes y con él apenas se pueden transformar fotos digitales. Para modificar tus imágenes de una forma razonable necesitas un programa gráfico mucho más potente como por ejemplo "PhotoImpact", que te presentamos en el próximo capítulo.
Pero con la *Canon Digital Ixus 400* también se entrega una **suite** con varios programas: "Camera Suite". Sólo tienes que instalarla y ya puedes comenzar a sacarle el mejor partido a tus fotos.

Instalación de "Camera Suite"

La instalación de los programas de "Camera Suite" que viene con la cámara *Ixus* es sencilla.

1 Primero coloca el CD que contiene "Camera Suite" en la unidad de CD-ROM. Si la instalación no se inicia automáticamente, haz un click en Inicio y otro en Mi PC para que se abra la ventana siguiente en tu ordenador.

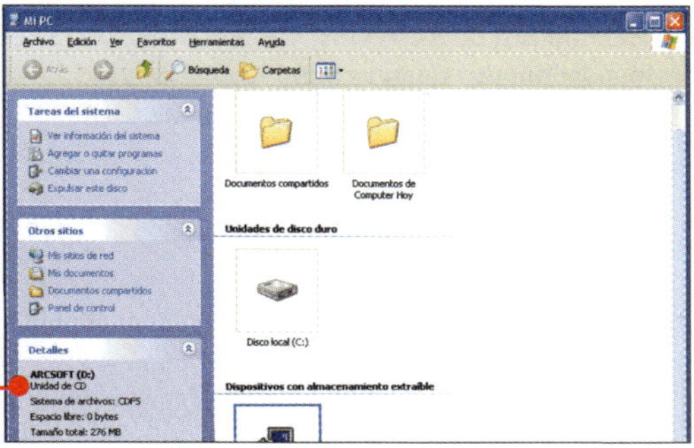

Arranca ahora la instalación de la suite con un doble click sobre el siguiente icono.

2 Ahora es el momento de pulsar sobre el botón

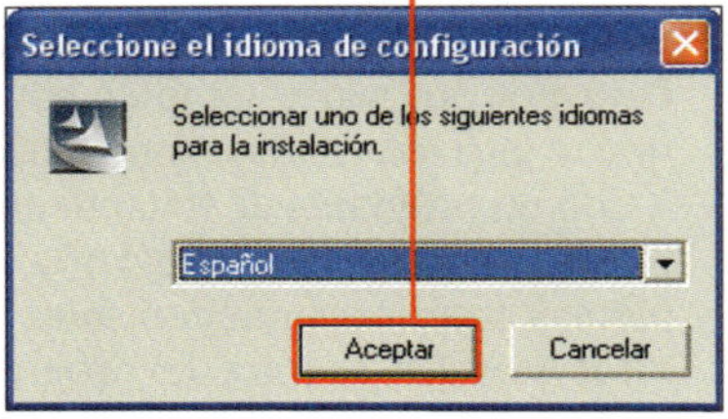

para confirmar que deseas instalar la versión española.
Entonces comenzará el proceso de instalación.

3 En la ventana que aparece a continuación, inicia los pasos de la instalación con un click sobre ●.

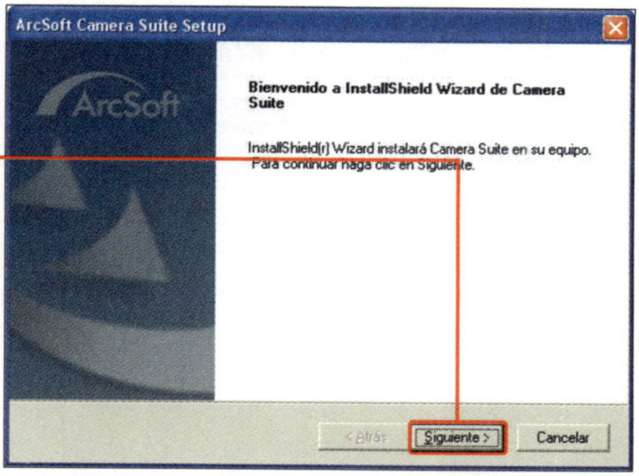

4 Como en cualquier programa informático, en primer lugar tienes que aceptar el contrato de licencia. Para ello pincha sobre el botón Sí.

5 A continuación se te propone una ubicación para guardar el programa gráfico que te has descargado. Acepta con un click en Siguiente.

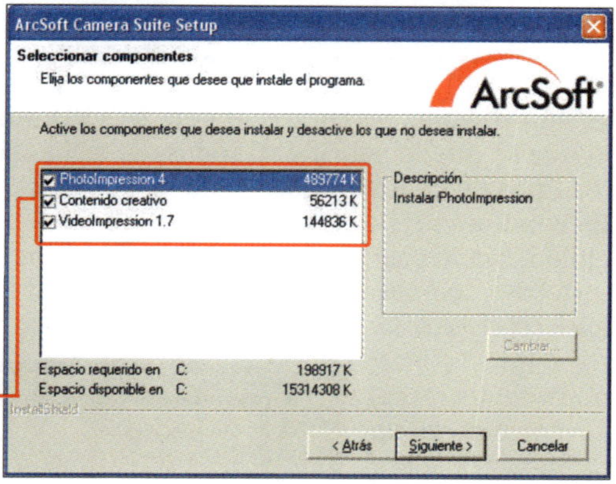

6 En la siguiente ventana puedes ver qué programas componen el paquete completo de la suite ●.
Como lo mejor es que dispongas de todas las posibilidades, lo mejor es pulsar sobre el botón Siguiente.

7 En la ventana que aparece a continuación ●,

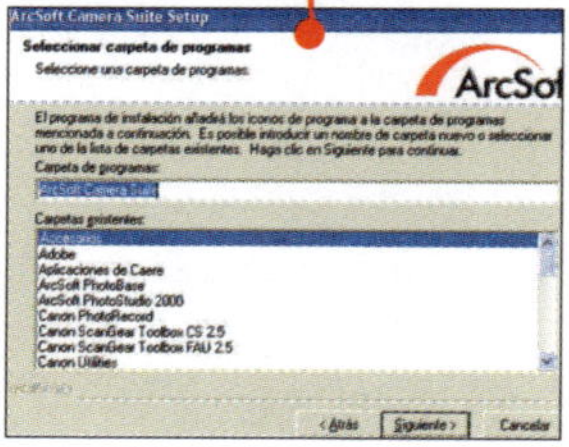

una vez hayas pulsado sobre Siguiente se iniciará de forma definitiva el proceso de instalación de la suite ●.

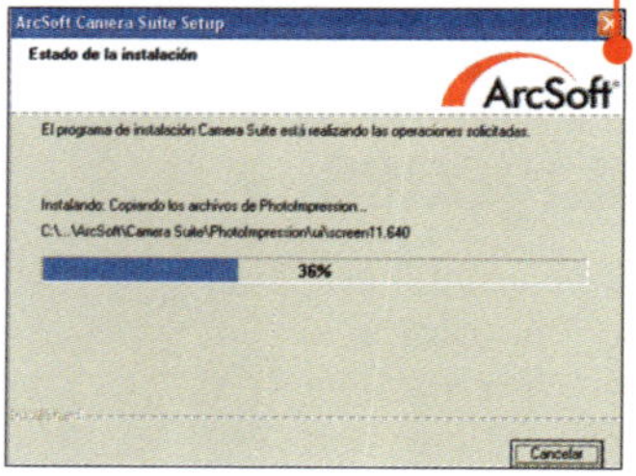

8 Al final se te pregunta si quieres instalar también **DirectX** ●.

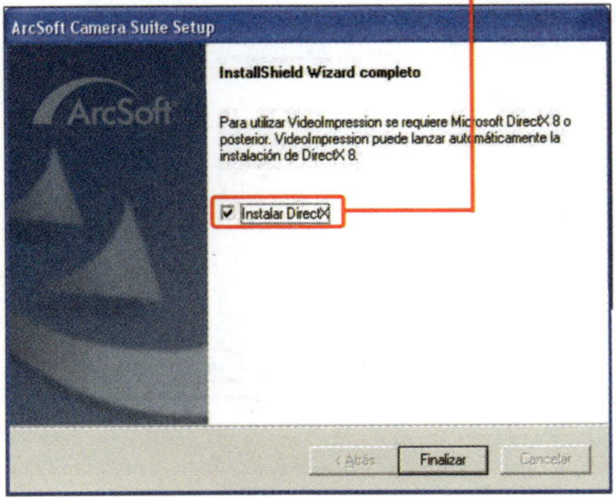

Es un programa de Microsoft con el que se pueden abrir casi todos los tipos de archivos multimedia. En Windows XP, DirectX ya está incluido, con lo cual no es necesario instalarlo de nuevo. Por tanto, haz click sobre la casilla [Instalar DirectX] para que la marquita desaparezca. Finalmente, con un último click sobre el botón [Finalizar], la instalación de la suite habrá terminado por completo.

Importar imágenes

El programa gráfico "PhotoImpression", que incluye la suite, viene con una serie de imágenes de muestra. Si quieres manejar y modificar tus propias fotos, primero tendrás que importarlas y familiarizarte con el programa.

1 Para iniciar el programa gráfico basta con que hagas doble click sobre el icono correspondiente ●.

2 Desde la ventana principal tienes fácil acceso a todas las funciones que te permite la aplicación ●.
Al principio aparecen en la parte inferior de la ventana solamente las fotos de muestra que incluye el ál-

bum del programa ●.
Naturalmente, también puedes tratar tus propias imágenes, pero primero tienes que **importarlas** al programa.

3 En la parte inferior izquierda de la ventana (al lado de las fotos de muestra) encontrarás las funciones necesarias.
Si has traspasado tus fotos a una carpeta de tu disco duro (como te mostramos en el capítulo 2), haz click en la opción ●.

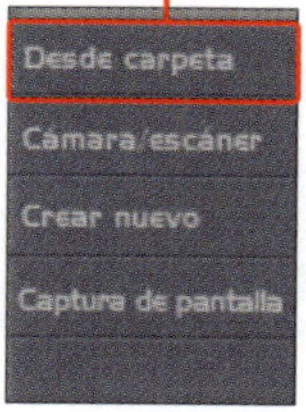

se abrirá una ventana del **explorador** desde la que tienes acceso a todos tus archivos y carpetas ● .

4 Ahora, la parte inferior de la ventana principal cambia: ●.

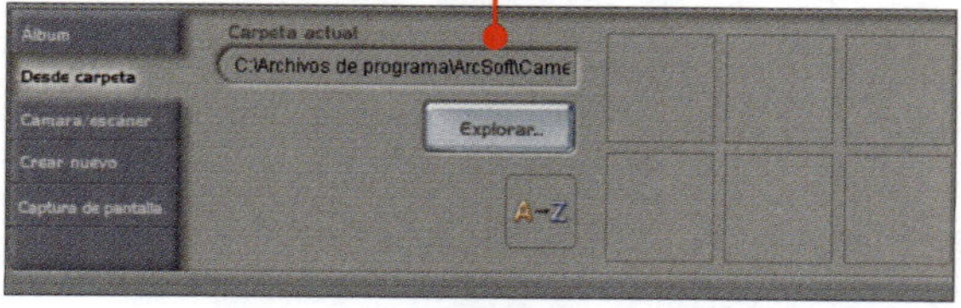

A continuación, tras hacer click en el botón ●

Pincha sobre tu carpeta de fotos y haz click después en Aceptar.

5 Entonces aparecerán las fotos de esa carpeta en la parte inferior de la ventana del programa ● .

Para poder ver también las imágenes que no caben en la ventana de previsualización, sólo tienes que utilizar las flechas .

Mejorar fotografías

Después de los trabajos preliminares, tus fotos ya han sido importadas al programa y todo está listo para empezar.

1 Si quieres trabajar con una foto basta con hacer un doble click sobre ella ,

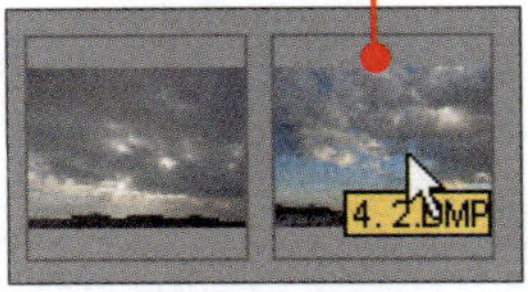

y la imagen aparecerá en la ventana de tratamiento .

2 En el lado izquierdo de la ventana, si pulsas sobre la opción

aparecerán en la parte de abajo las diferentes herramientas de tratamiento .

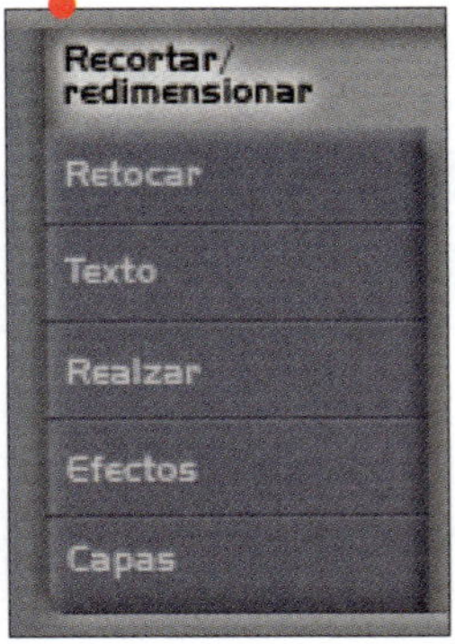

3 Para optimizar una foto tienes varias opciones a tu disposición. Haz click en la opción correspondiente, Realzar y se mostrarán las herramientas para mejorarla .

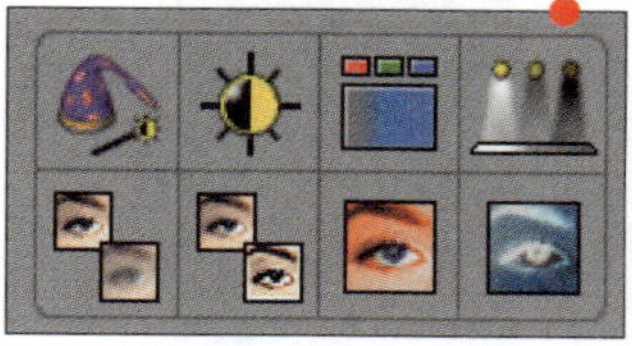

4 Si pasas con el ratón por encima de cualquiera de los iconos aparece enseguida una explicación de la función correspondiente .

Como la foto del ejemplo tiene una apariencia algo oscura, se puede aclarar con la opción .

5 Después de pulsar la opción correspondiente aparecen al lado unos **deslizadores** con los que puedes ajustar la luminosidad y el contraste .

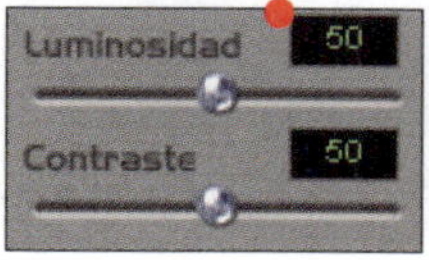

Para aumentar la luminosidad de la foto, pincha sobre la bola del regulador, mantén apretado el botón izquierdo del ratón y arrastra el deslizador, con el botón del ratón pulsado, hacia la derecha .

6 Haz lo mismo con el regulador del contraste ,

para incrementar éste también. Puedes ver el resultado de manera directa en la ventana de tratamiento .

7 Si estás conforme con el resultado, haz click en el botón ●. La modificación se aplicará sobre tu foto de inmediato.

Ampliación de detalles

A veces, el objetivo zoom no alcanza para captar un objeto de forma que llene toda la fotografía. En ese caso, puedes trabajar con la ampliación de detalles y recortar la parte más importante de la foto para que quede eliminado el resto. Sólo tienes que hacer lo siguiente:

1 Con un doble click, pasa la foto que desees a la ventana de tratamiento ● como hemos descrito antes.

2 Pulsa, a la izquierda de esa misma ventana del programa, sobre la opción ●,

para que aparezcan las herramientas con las que vas a transformar tu fotografía ●.

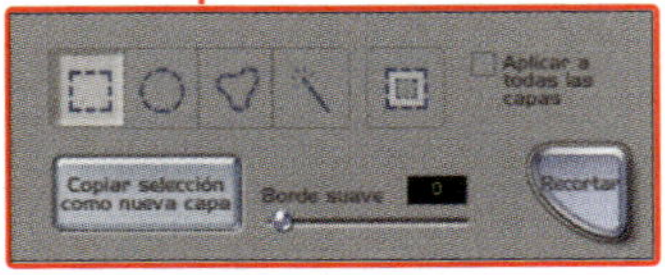

3 Con un click sobre ●, seleccionarás la forma que debe tener el recorte.

5 Cuando hayas ajustado el tamaño del recorte, haz click en este botón: ●.

4 Ahora pincha en la foto sobre la esquina superior izquierda, donde quieras que empiece el recorte, por ejemplo aquí ●, mantén apretado el botón del ratón y arrastra el recuadro hasta donde desees, en la esquina de abajo a la derecha ●.

Entonces se recortará la imagen, según el contorno que hayas marcado .

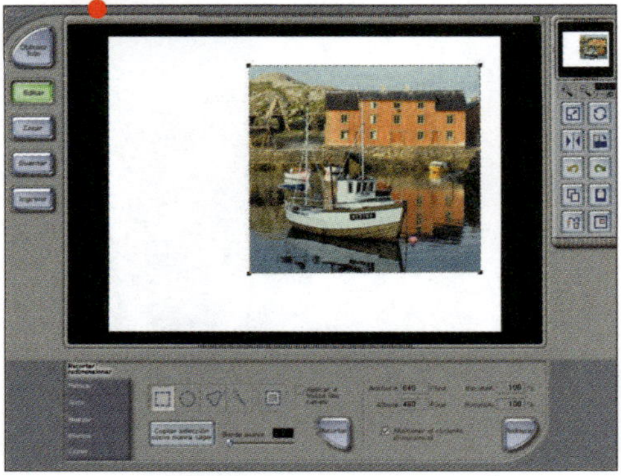

6 Si no estás satisfecho con el recorte, puedes deshacer la última acción. Para eso dirígete a los botones que hay en el lado derecho de la ventana de tratamiento, y pulsa en .

7 Ahora todavía puedes ajustar tu recorte a la medida que quieras. El tamaño actual aparece en la parte derecha de la lista de herramientas, debajo de la ventana de tratamiento.
Haz click primero en la opción

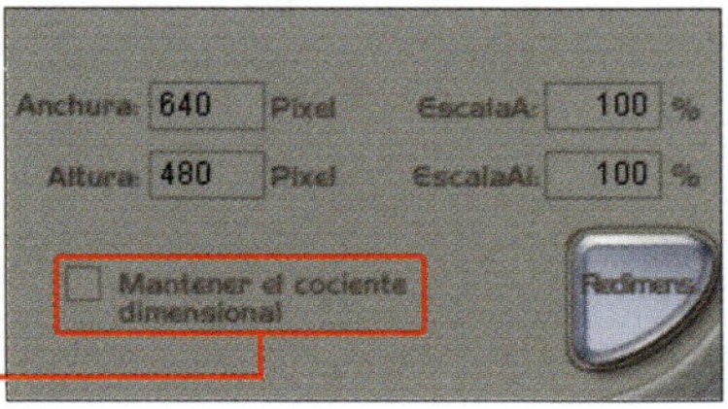

para activar la casilla .

De esta manera te aseguras de que la foto mantiene sus proporciones. Si no lo haces, la foto se deformaría .

8 A continuación, introduce mediante el teclado una nueva anchura para tu foto .

La altura variará proporcionalmente de forma automática.

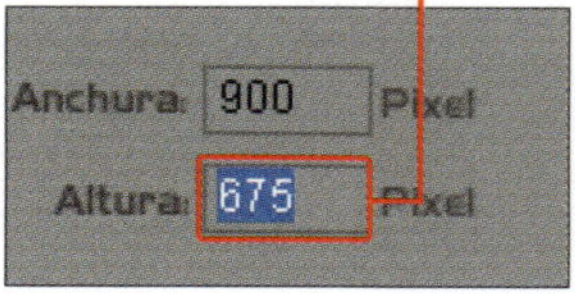

9 Para que los nuevos ajustes se hagan efectivos, haz click finalmente en la opción.

Guardar fotos modificadas

Cuando hayas acabado de retocar tus fotografías no querrás perder todo el trabajo que has realizado, así que no te olvides de guardar esas fotos mejoradas.

El programa gráfico "PhotoImpression" que viene con la cámara, te permite grabarlas y, de esta manera, podrás utilizar una foto, por ejemplo como fondo de pantalla, o enviarla directamente por e-mail.

En lugar seguro

En el momento en que vayas a guardar las fotos, tienes varias posibilidades a tu alcance.

1 Para guardar una foto modificada, lo primero que debes hacer es pulsar en.

Debajo de la ventana de tratamiento aparecen las diferentes posibilidades.

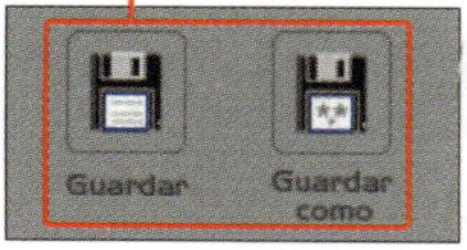

2 Si crees que ya no vas a necesitar más la foto original y quieres reemplazarla por la modificada, haz click sobre el icono.

3 Pero también puedes guardar la imagen modificada con otro nombre. De este modo, se conservará también la foto anterior. Es recomendable guardar la foto original, así siempre podrás recurrir a la versión anterior en el caso de que no te guste el resultado de las modificaciones realizadas. Para poder guardar la foto con un nombre diferente, haz click en el icono correspondiente:.

4 En la ventana siguiente se pide que des un nombre a la foto.

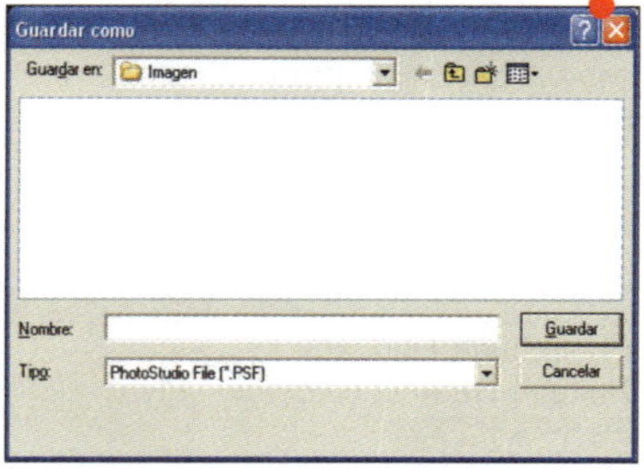

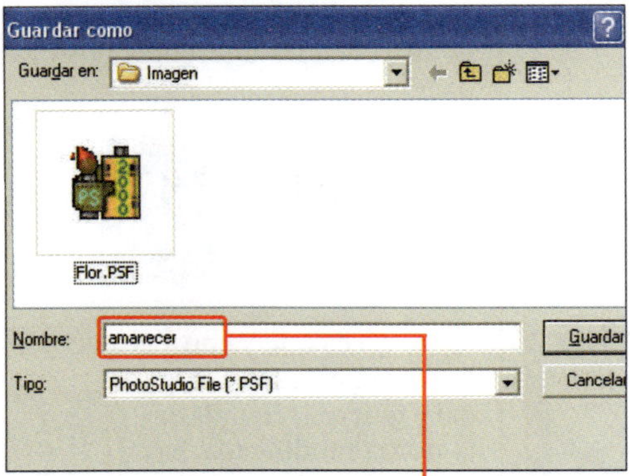

Introduce el nombre que quieras en el recuadro previsto para ello ●, en la parte inferior de la ventana que aparece.

5 Además, tienes que escoger el **formato de archivo**. Para hacerlo, pincha en la pequeña flecha que señala hacia abajo, en la siguiente casilla, debajo de la que has insertado el nombre y se desplegará una lista con diferentes tipos de archivo ●.

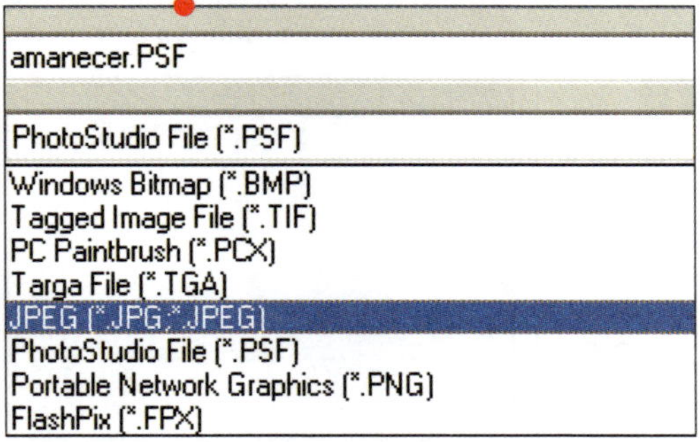

Selecciona en la lista la opción deseada con un simple click.

6 Si te has decidido por el formato **JPEG** puedes indicar, además, un factor de compresión ●. El formato JPEG guarda las imágenes comprimidas. Esto tiene la ventaja de que los archivos se hacen más pequeños y así

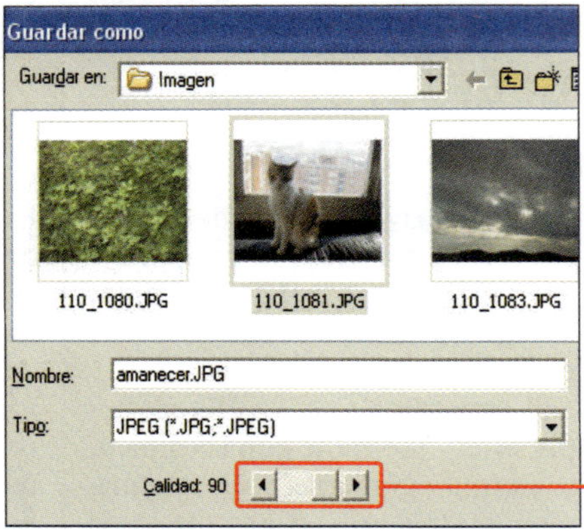

se pueden transferir con más facilidad. Pero si se comprimen mucho, la calidad de la foto empeora. La compresión que está predeterminada es un buen equilibrio entre tamaño del archivo y calidad.
Si no quieres comprimir más el archivo, simplemente haz click en el botón Guardar.

7 Si no has creado un nuevo álbum para tus fotos, como te explicamos en el siguiente apartado, puedes confirmar la última ventana sencillamente con un click sobre ●.
De esta manera, tu foto quedará guardada en el que el programa incluye por defecto.

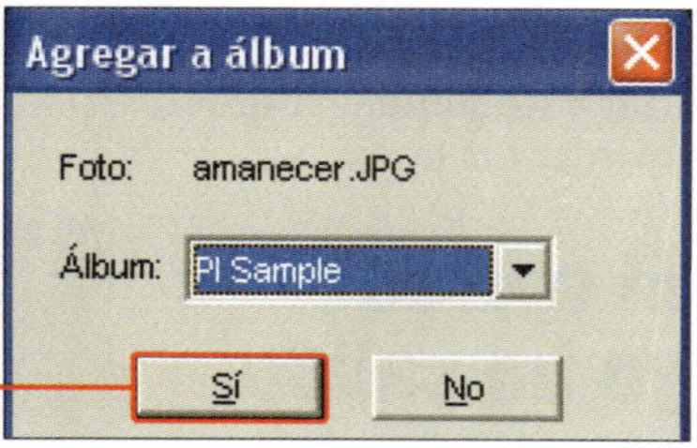

> **! Formato de archivo**
>
> Casi todos los programas de tratamiento fotográfico guardan sus imágenes en un formato propio. Si tienes intención de pasar tus fotos a otras personas, deberías utilizar un formato más corriente como JPEG o **TIF**. Si no, existe el riesgo de que el receptor no disponga del programa pertinente y por tanto no pueda ver tus fotos.

Crear un álbum de fotos

Los álbumes de fotos son carpetas en las que guardar tus imágenes. El programa gráfico administra por sí mismo esas carpetas, de modo que puedas tener acceso directo a ellas. Siempre es mejor crear un álbum de fotos propio para las imágenes que han sido tratadas.A continuación te enseñamos cómo:

1 Haz click primero sobre el botón ●
y después en la pequeña flecha que hay junto al nombre del álbum que se encuentra activo ●.

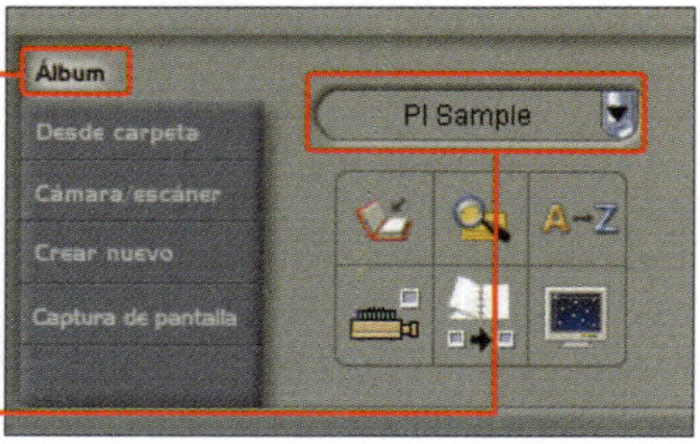

En la lista que se despliega, elige con un click la opción ●.

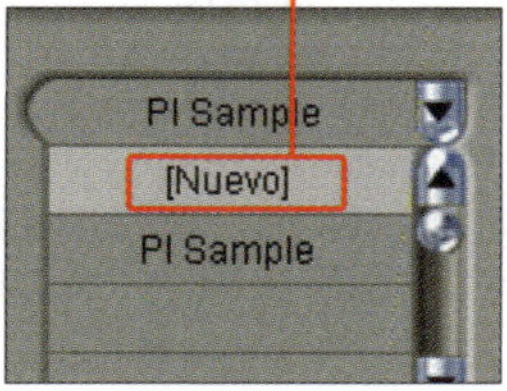

2 A continuación, en el espacio destinado para ello, dale al nuevo álbum ●

el nombre que prefieras ●.

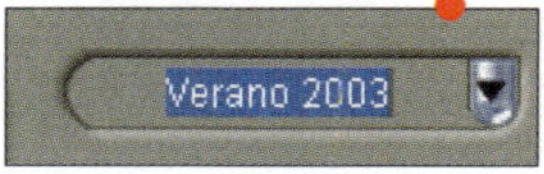

A partir de ahora también puedes usar este álbum, si quieres, para guardar tus fotos.

El correo ya ha salido

También tienes la posibilidad de enviar tus fotos por **correo electrónico** directamente desde el programa "PhotoImpression". Pero, por seguridad, es mejor que guardes tus fotos antes de enviarlas. Para mandar una imagen adjunta a un correo electrónico, sigue los siguientes pasos:

1 En primer lugar, selecciona la fotografía que habrás guardado tal y como te indicamos en el apartado "En lugar seguro". Luego pulsa en la opción adecuada:

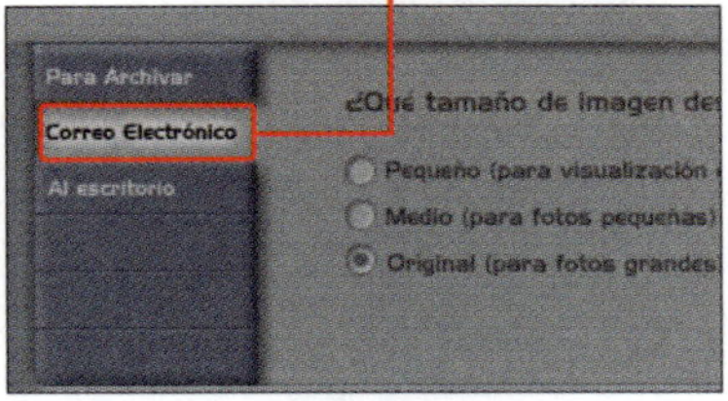

2 Para que el **e-mail** no sea muy grande deberías marcar con un click la opción .

Cuando aparece un punto en el círculo al lado del enunciado, es que la opción está activada.

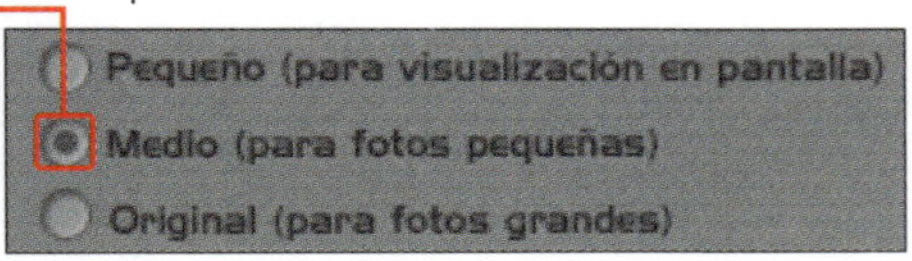

3 Ahora puedes saber qué tamaño tendría el archivo si lo enviaras así .

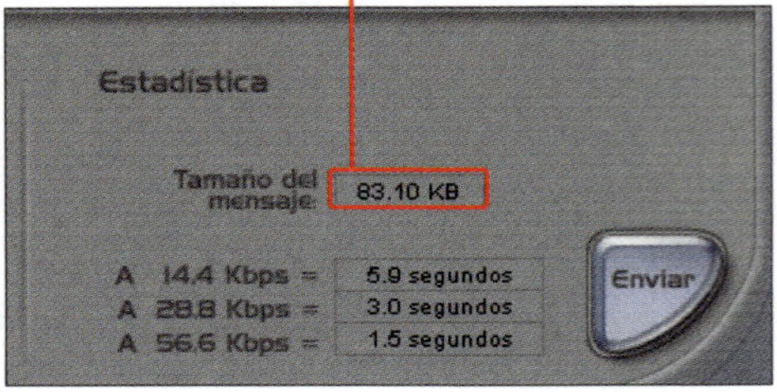

Si estás conforme con el tamaño, pulsa sobre el botón .

4 Si tienes instalado en tu ordenador los gestores de correo Outlook y Outlook Express, tendrás que elegir uno de los dos programas .

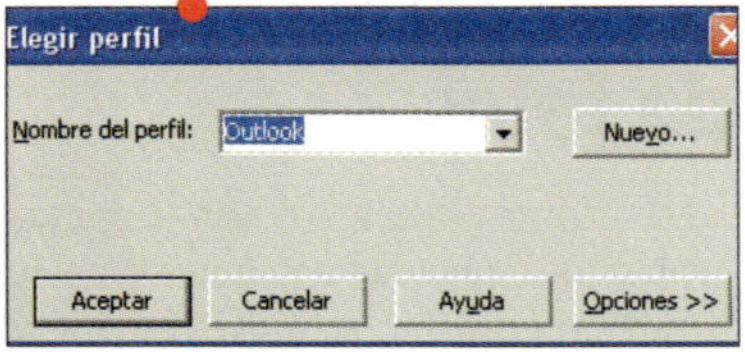

Después de la selección del programa, haz click en Aceptar.

5 A continuación, se iniciará el programa de correo electrónico que hayas elegido. Como pue-

des ver, la foto seleccionada ya está adjunta al mensaje.
Ahora sólo tienes que escribir una dirección, el asunto y tu texto, y ya puedes enviar tu foto a quien quieras.

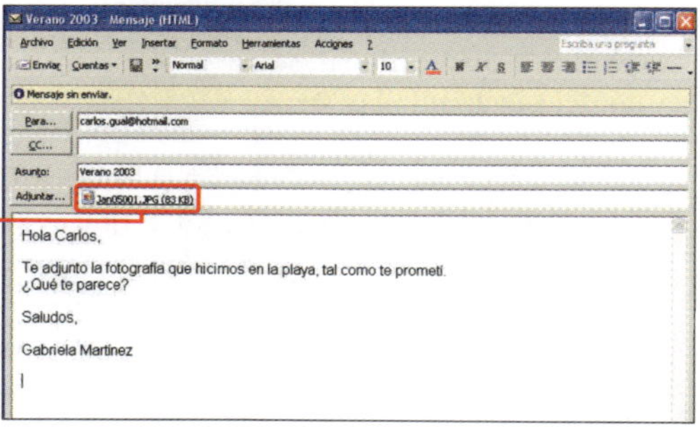

Tus fotos como fondo de Escritorio

Las imágenes de muestra que trae Windows XP como fondos de Escritorio son realmente bonitas. Pero después de un tiempo, uno se aburre de ver siempre las mismas. Con "PhotoImpression" podrás utilizar, sin complicaciones, una foto propia como fondo de Escritorio.

1 Selecciona la fotografía que guardaste siguiendo las indicaciones del apartado "En lugar seguro" y elige con un click la opción

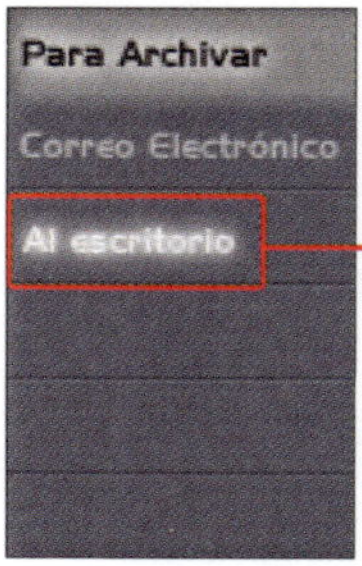

para guardar la foto como fondo de Escritorio de tu ordenador.

2 Pulsa ahora sobre este icono y, de forma inmediata, la foto que hayas escogido antes se convertirá en tu fondo de Escritorio.

Tu álbum como salvapantallas

Cuando con el tiempo hayas completado un bonito álbum de fotos, también podrás hacer con él un **salvapantallas**, de manera que aparezcan las fotos poco a poco. Se hace así:

1 En la ventana del álbum, haz click, en primer lugar, sobre el icono del salvapantallas.

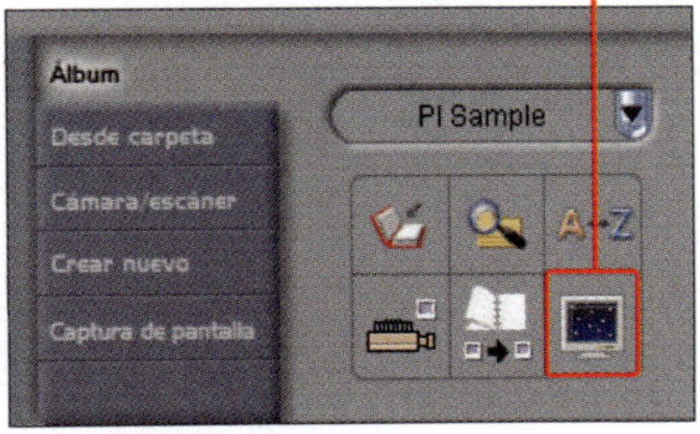

2 En el cuadro de diálogo que aparece a continuación, puedes realizar distintos ajustes.
En el apartado sobre el tiempo entre fotos, determina, en segundos, a qué velocidad quieres que pasen las fotos, una detrás de otra.

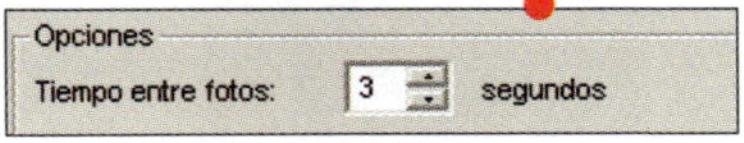

3 Mantén la marquita en la casilla

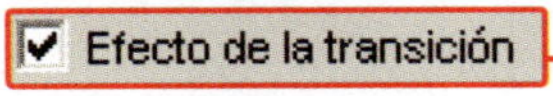

y se incorporarán transiciones entre cada una de las fotos, de modo que el cambio entre las imágenes no se realice bruscamente en la pantalla.

4 Determina tú mismo los efectos de fundido. Para ello, pincha en la flechita al lado de la opción,

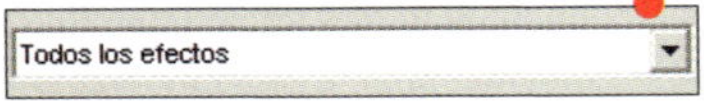

y decídete por un efecto entre los que se muestran en la lista.

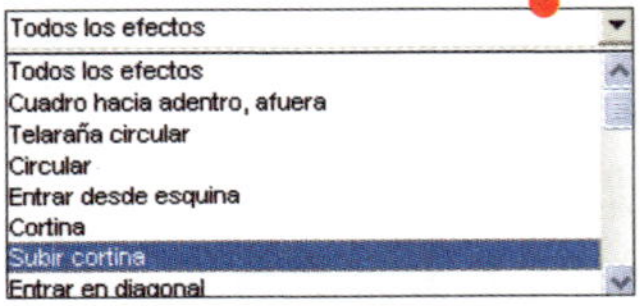

5 Después de haber realizado todos los ajustes, haz click sobre el botón Visión preliminar. Ahora puedes comprobar si te gusta el resultado después de haber especificado el tiempo y los efectos .

6 Si estás satisfecho con el resultado, sólo tienes que apretar sobre OK para aplicar el salvapantallas tal como lo has creado.

7 Haz un último click de confirmación en

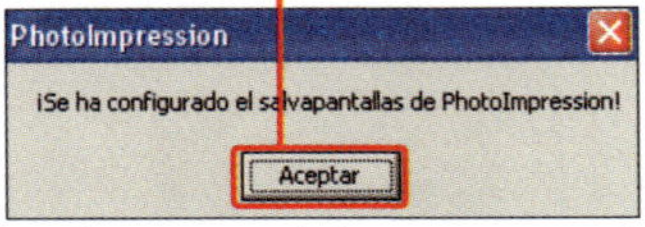

y de ahora en adelante ya puedes disfrutar viendo tus propias fotos en las pausas del trabajo.

6 Retocar y mostrar fotos con "PhotoImpact XL"

La mayoría de programas para el tratamiento de imágenes que acompañan a las cámaras digitales y a las impresoras fotográficas son totalmente adecuados para llevar a cabo las tareas más usuales. Pero quizás alguna vez quieras hacer algo totalmente diferente con tus fotografías, o incluso "rescatar" digitalmente fotos que hayan salido fatal. Y entonces tendrás que hacerte con alguno de los grandes programas de tratamiento gráfico. Uno de ellos es PhotoImpact. Este programa te servirá para hacer casi todo lo que desees. ¿En una foto, el cielo ha salido nublado, o un familiar tiene los ojos completamente rojos? Con PhotoImpact puedes evitar todos los disgustos del mundo. Además, te ofrece la posibilidad de reunir tus álbumes electrónicos en un CD y hacer presentaciones.

Sumario de la sección

Iniciar PhotoImpact

El programa gráfico PhotoImpact XL se puede comparar casi con un programa profesional de tratamiento de imágenes. En principio, con él puedes superar todos los problemas que se presentan durante el retoque de una foto.

Lo primero que debes hacer es **arrancar el programa**. Puedes hacerlo de dos formas, desde el **menú de Inicio** o directamente desde el icono que se instala en el Escritorio.

1 Arranca el programa pulsando sobre el botón Inicio y luego en Todos los programas para que se abra el submenú que contiene todos los programas que tienes instalados en tu ordenador.

2 A continuación, coloca el ratón en Ulead PhotoImpact XL y luego pulsa PhotoImpact XL. PhotoImpact se iniciará de inmediato.

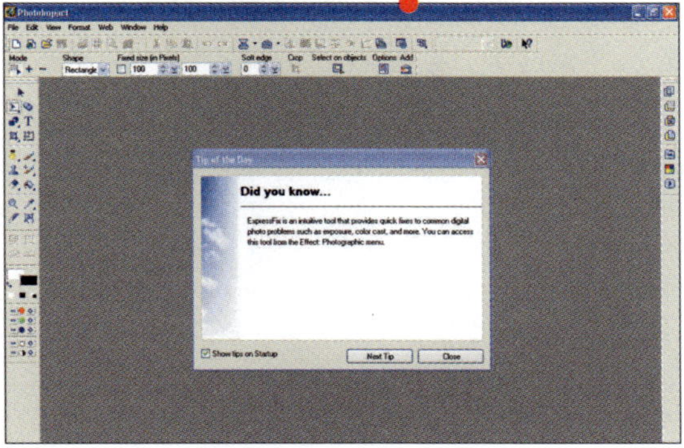

Puedes llegar a la misma ventana principal del programa, haciendo un doble click sobre el icono

que PhotoImpact deja en el Escritorio en el momento de su instalación.

3 El programa se inicia siempre con un consejo, indicación o truco acerca de su utilización.

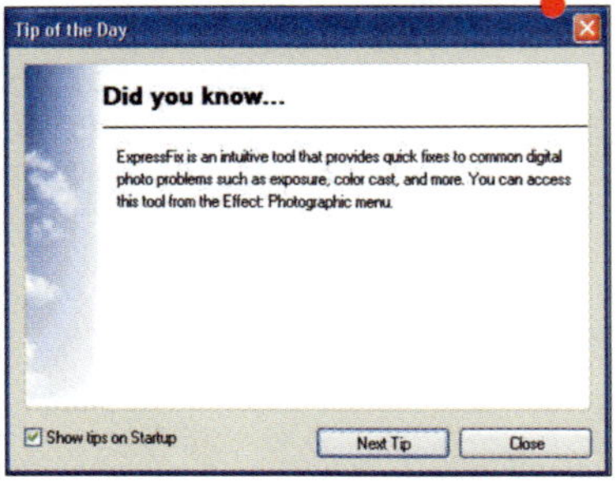

Es una buena idea mantener su activación al principio, e incluso puedes ir al siguiente consejo con un click en Next Tip o cerrar directamente la ventana pulsando en Close. Pero seguramente, en el momento que conozcas el programa más a fondo, estas ventanas te resultarán un estorbo. Si desactivas la opción

haciendo que desaparezca la marquita con un click, la ventana con las indicaciones no volverán a aparecer.

Registrar y actualizar el programa

Los programas de ordenador evolucionan constantemente. Por eso muchas veces, cuando compras un programa, en cuanto lo tienes en las manos ya ha dejado de estar al día. Las **actualizaciones** de programas, también llamadas Update, ofrecen sobre todo soluciones a errores, pero también mejoras y se pueden **descargar** de Internet. A continuación aprenderás cómo funciona todo esto.

1 Primero, si no lo has hecho ya, inicia "PhotoImpact XL" con un doble click sobre el icono del programa en el Escritorio ●.

2 Si ya has iniciado PhotoImpact alguna vez y, por tanto, no aparece la ventana del **registro** en la **barra de menús** del programa, pulsa en Help y luego sobre la opción ●.

Así se establecerá una conexión con Internet y aparecerá la página de Ulead en la Red.

3 Al conectarte a Internet, la **página web** de Ulead se carga y se superpone al programa ●.

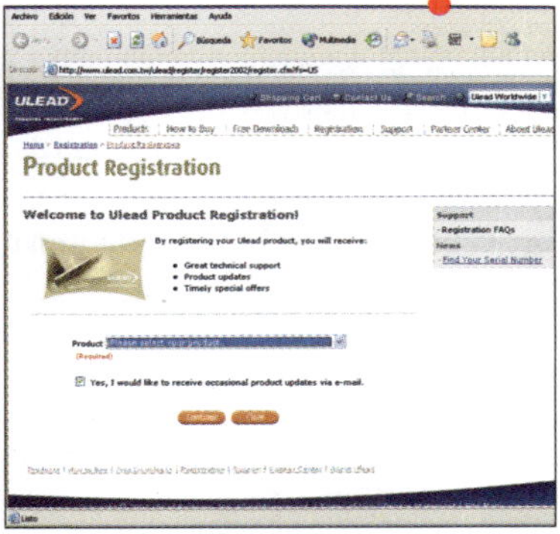

Decide primero si quieres que la empresa distribuidora te envíe por correo electrónico notificación de las actualizaciones del programa. Si crees que te interesa, deja marcada esta opción, tal como aparece en la página web por defecto ●.

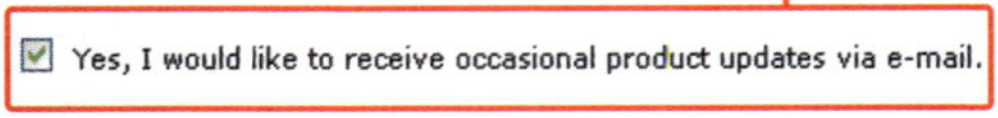

Si, en cambio, no quieres recibir ningún e-mail, desactiva la opción con un click para que desaparezca la marca.

4 Selecciona ahora el producto que has adquirido buscándolo en la lista de todo el software que te ofrece el fabricante. Puedes moverte por la lista con la barra deslizadora ●,

y, cuando lo hayas marcado, pulsa sobre el botón Continue para continuar con el registro.

5 En la siguiente ventana, tendrás que elegir la **versión** del programa entre las que se muestran en el nuevo listado ●.

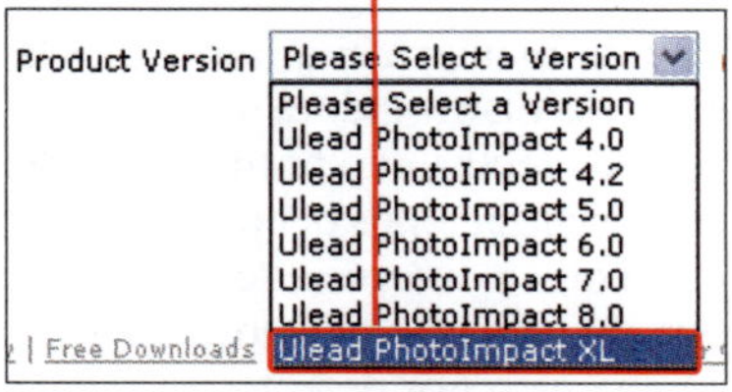

Pulsa una vez más sobre Continue.

6 Finalmente, en la casilla reservada a tal efecto ●,

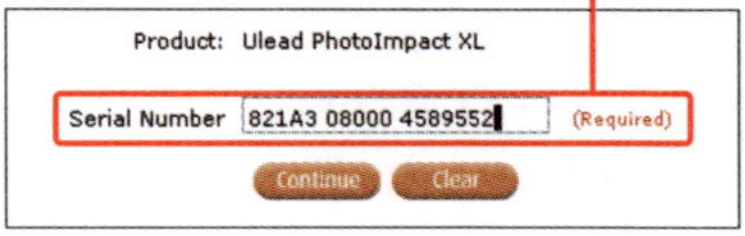

introduce el número de serie que encontrarás en el CD-Rom del producto, y vuelve a pulsar en el botón Continue para que el registro se lleve a cabo. Es importante hacerlo si quieres obtener mantenimiento.

7 Ahora, en la barra superior de la misma ventana en la que has registrado el producto, pasa con el ratón por encima de la opción ●,

y luego haz click sobre la siguiente opción ●,

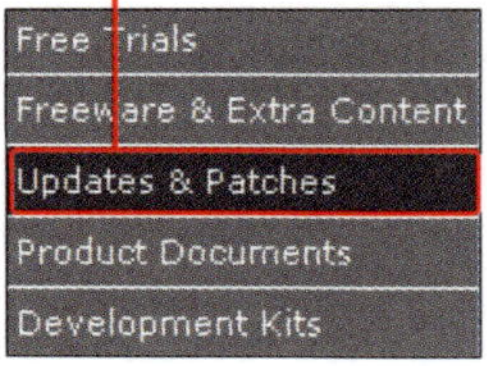

para seleccionar la actualización del programa.

8 En la página siguiente, dedicada a la actualización ●,

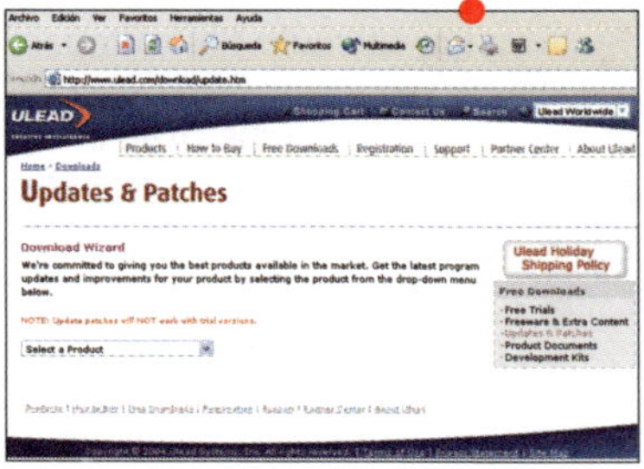

pincha en la pestaña con la flecha hacia abajo ●,

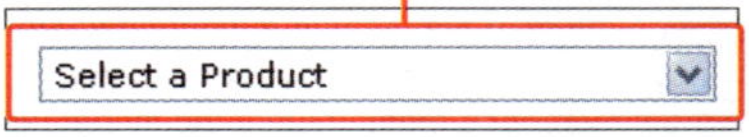

y marca con un click la opción ●.

9 A continuación, se abre la ventana con la actualización del programa gráfico "PhotoImpact" ●.

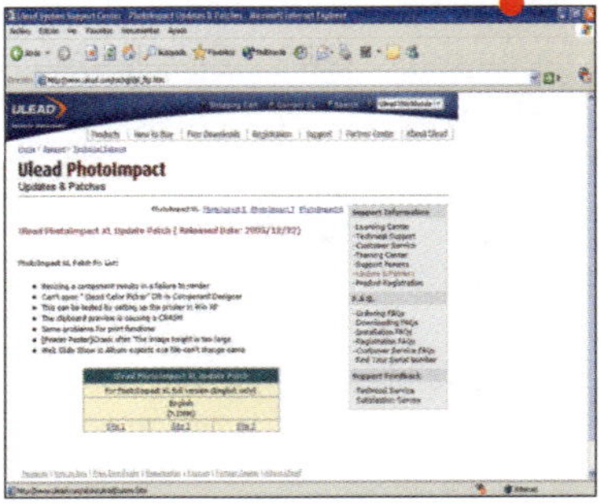

En la parte inferior de la página, pulsa en una de las opciones ●.

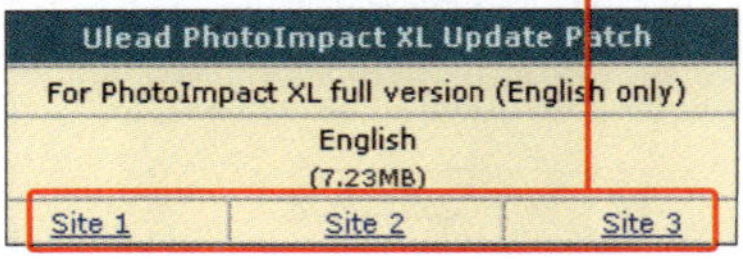

Es indiferente cual de las tres elijas, porque se trata sólo de diferentes sitios web de los que se puede descargar la actualización. Si un sitio o sede no funciona, elige otro con un click.

10 En la ventana siguiente de descarga de la actualización ●,

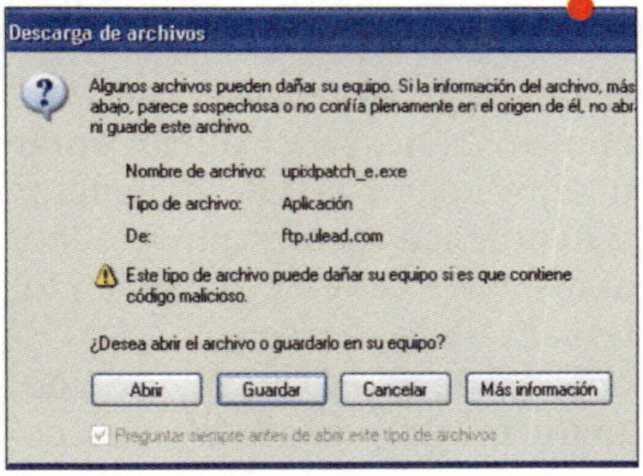

tienes que dar tu conformidad con un click en Guardar.

11 Ahora puedes determinar una ubicación para guardar la actualización del programa ●,

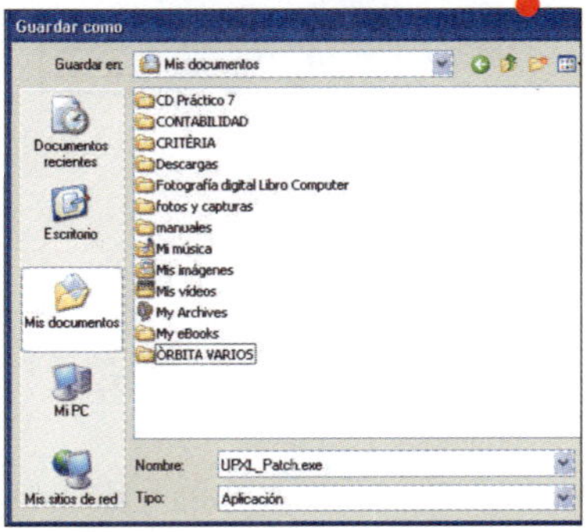

antes de confirmar tu elección al pulsar en la opción Guardar.

12 Así se pondrá en marcha definitivamente la transferencia de la actualización.

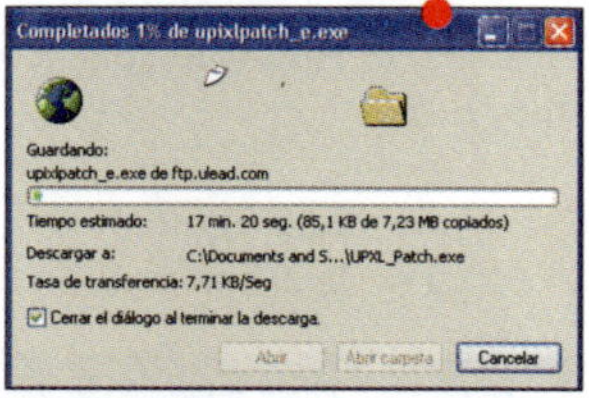

Como el archivo es bastante voluminoso, la descarga puede durar tranquilamente más de 20 minutos si tu ordenador no es muy potente ni dispones de una conexión a Internet rápida.
Cuando el proceso haya concluido, aparecerá en pantalla el aviso correspondiente,

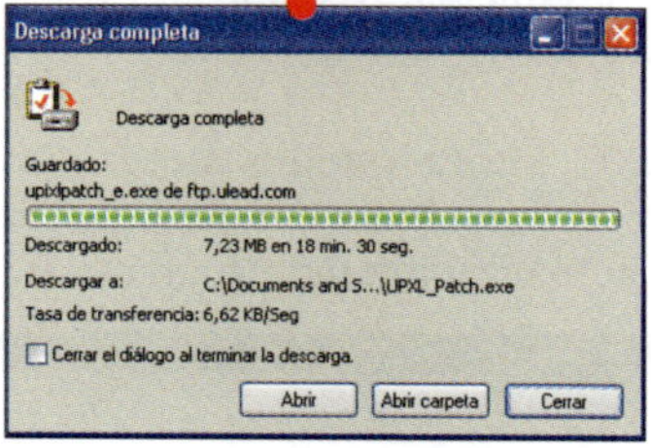

que puedes cerrar mediante un click en Cerrar.

Instalar la actualización

La actualización ya está guardada en la carpeta indicada. Para poder utilizar las mejoras más recientes del programa tienes que instalarla.

1 Si todavía no has cerrado la ventana de descarga del archivo (ver paso **9** del apartado anterior), haz un click primero en la orden Abrir carpeta.
Si ya la has cerrado, abre la carpeta correspondiente con un click en Inicio y en Mis documentos.

2 Cuando aparezca la ventana del mismo nombre,

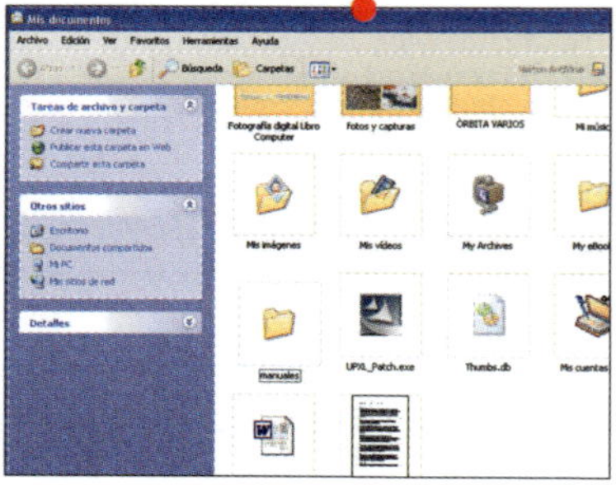

arranca el programa de instalación con un doble click sobre el archivo de instalación.

3 Recuerda que para instalar la actualización el programa PhotoImpact debe estar cerrado. En caso contrario, aparecerá una ventana de aviso como ésta:.

Pulsa sobre Aceptar para que desaparezca y procede a cerrar el programa antes de repetir el paso **2**.

4 Cierra el programa de instalación haciendo un click en el botón Finalizar.

> **! Preparación de la instalación**
>
> Antes de iniciar el programa de instalación tienes que cerrar el resto de programas. Sobre todo "PhotoImpact", para el que está pensada la actualización, tiene que estar necesariamente cerrado. Si no, la instalación puede fallar.

Tratamiento fotográfico

El programa PhotoImpact ofrece prácticamente todas las posibilidades para un tratamiento fotográfico profesional. A pesar de eso, está organizado de una manera clara, de forma que podrás orientarte rápidamente.

1 Inicia el programa de tratamiento fotográfico con un doble click en el icono de acceso directo.

No te preocupes si el programa tarda un rato en empezar. Es debido a que se tienen que preparar bastantes componentes necesarios para su funcionamiento.

2 Además de la ventana propia del programa,

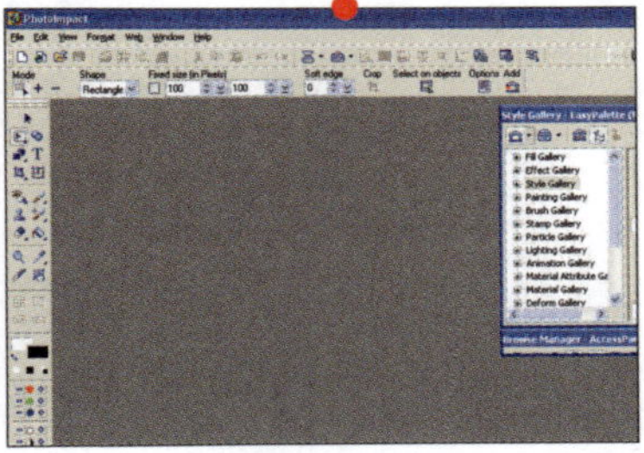

se abrirán también otras ventanas. Por ejemplo, un explorador de archivos

que te facilita la búsqueda de tus archivos de fotos.
En este panel de inicio rápido se reúnen herramientas y comandos

utilizados con frecuencia para poder acceder a ellos de inmediato.

En la paleta de estilos y efectos tienes a tu disposición los efectos con los que puedes retocar tus imágenes.

Distorsiones del color

Cuando un color destaca demasiado en una foto, hablamos de lo que se conoce como distorsiones del color. Es el caso, por ejemplo, de una foto en la que un cielo muy azul ocupa mucho espacio y por eso todo lo demás parece un poco azulado. Para eliminar esa distorsión sigue estos pasos:

1 En primer lugar, selecciona con el explorador de archivos del programa la foto que quieras retocar.

Un doble click sobre la foto que elijas, cargará la imagen en la ventana de tratamiento de "PhotoImpact".

2 En el lado izquierdo de la ventana de tratamiento, encontrarás los reguladores para el ajuste de color.

3 Si pulsas en el signo menos al lado del punto de color azul,

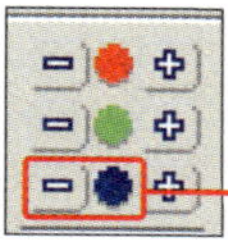

disminuirá la proporción de azul de la imagen. Puedes pulsar las veces que sean necesarias hasta obtener el efecto deseado.

En este caso, como puedes comprobar, el tono azulado del mar ha cambiado a un tono verdoso que mejora la imagen.

La varita mágica

A veces hay que modificar sólo una parte de la fotografía. Y entonces te encuentras con el problema de cómo señalar únicamente un determinado fragmento de esa foto para su tratamiento. Lo mejor para esa complicada tarea es utilizar la "varita mágica".

1 Primero pasa una foto, como hemos descrito antes, a la ventana de tratamiento de "PhotoImpact".

2 Para seleccionar sólo una determinada zona, haz click en la **barra de herramientas** sobre

y, en la lista que se despliega, sobre la opción.

Así, el puntero del ratón se convierte en una varita mágica:.

3 Si haces click con la varita sobre una zona de la foto (en este caso, el cielo), se marcarán las partes de cielo que tengan un color similar.

4 Si no se marca por completo el trozo de cielo que quieres modificar, tienes que ampliar el campo de la similitud de color. Primero deshaz la selección. Aprieta al mismo tiempo las teclas Ctrl y Z. Haz click en el regulador que hay sobre la ventana de trabajo

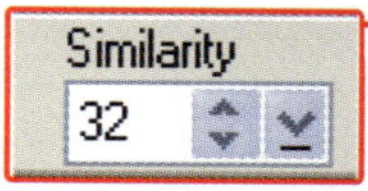

e incrementa el campo de similitud de color. A continuación, pincha de nuevo con la varita mágica en la zona de la foto que quieras retocar (cielo). En el ejemplo puedes ver que ahora se marca todo el cielo.

5 Una vez hayas señalado ya todo el cielo puedes empezar a regular los colores.

! Anular la selección

Cuando ya no se puede variar lo que acabas de señalar del fragmento de foto con la varita mágica, primero tienes que anular esa selección. Entonces podrás marcar de nuevo el mismo fragmento con otros ajustes. Pulsa en el teclado al mismo tiempo las teclas Ctrl y Z. Así deshaces la última acción de tratamiento.

Eliminar los ojos rojos

Puedes evitar en gran parte el llamado efecto de los "ojos rojos" en el mismo momento de hacer una foto con la cámara digital (ver capítulo 3). Pero si, a pesar de eso, alguna vez te encuentras con un problema de este tipo, también podrás solucionarlo fácilmente con PhotoImpact.

1 Primero pasa la foto de los desafortunados ojos a la ventana de tratamiento, tal como describimos anteriormente.

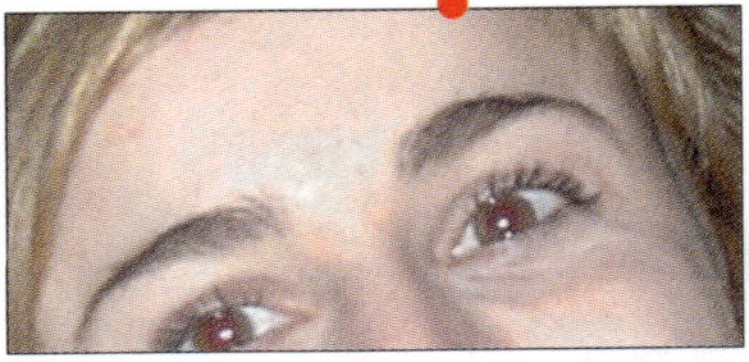

2 A continuación, elige de entre las herramientas la lupa de aumento,

y haz click sobre el ojo que quieres retocar tantas veces como sea necesario hasta que se haga suficientemente grande en la ventana.

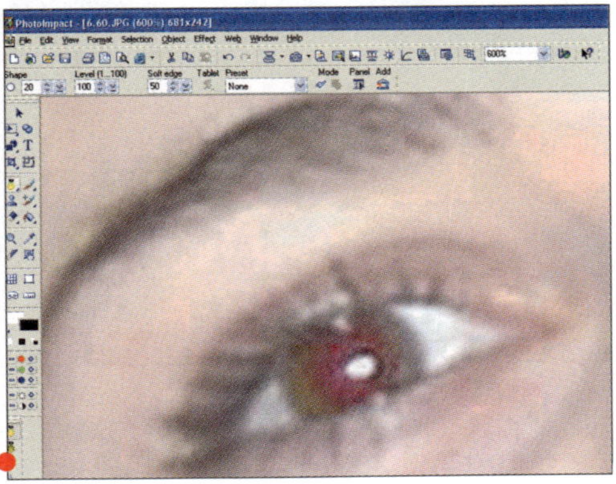

3 Para poner utilizar la herramienta de retoque, pincha en ,

y selecciona con un click, en la lista que se abre, la opción .

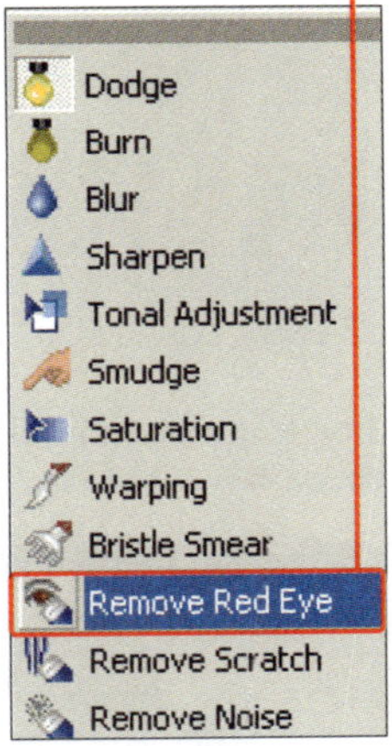

Entonces el puntero del ratón vuelve a cambiar de forma: .

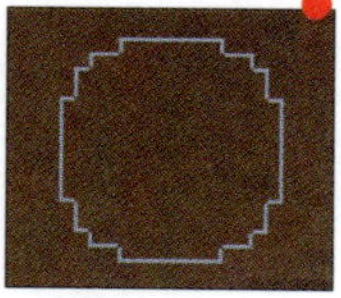

4 Con este puntero pasa por encima del ojo rojo ,

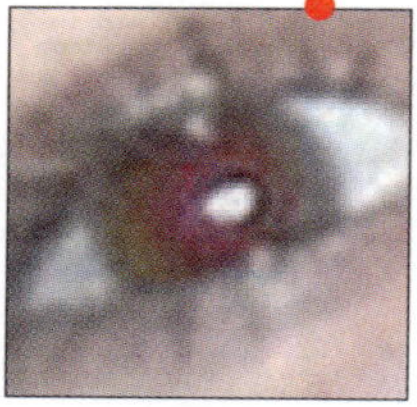

y haz click hasta que el color rojo desaparezca .

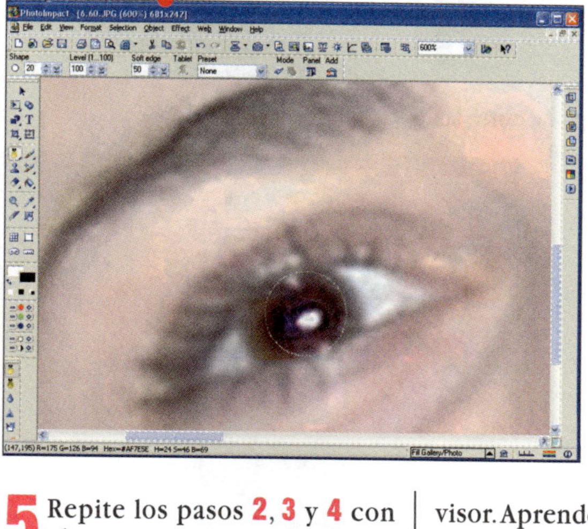

5 Repite los pasos **2**, **3** y **4** con el otro ojo. Si ya estás satisfecho con el resultado ,

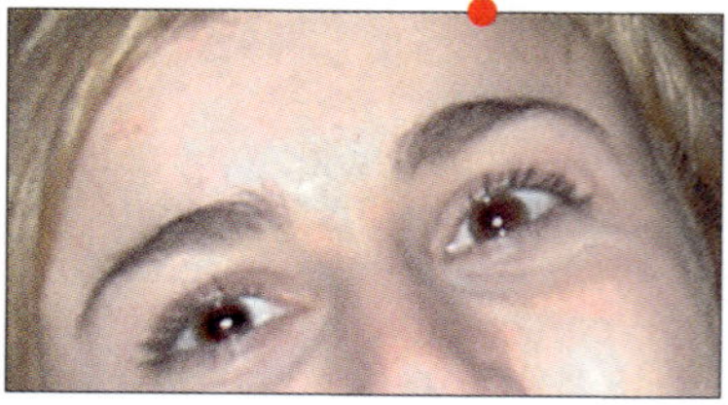

puedes guardar la foto, como de costumbre, con un click en la **barra de herramientas**, sobre el icono .

El CD de fotos

Hasta ahora, desde el momento de tomar la foto hasta su tratamiento, lo has resuelto todo digitalmente. También puedes agrupar tus fotos en un álbum de fotos digital. Y si copias tus fotos en un CD con PhotoImpact, luego podrás verlas con tu reproductor de CD en tu ordenador o en tu televisor. Aprende a continuación cómo pasar el álbum de fotos al CD:

1 Para preparar el álbum para el CD, haz click, en la barra de menús, primero sobre File y luego en Export, y elige después con un click la opción ●.

2 En la ventana que aparece a continuación, puedes seleccionar la carpeta en la que están las imágenes que quieres grabar en el CD ●.

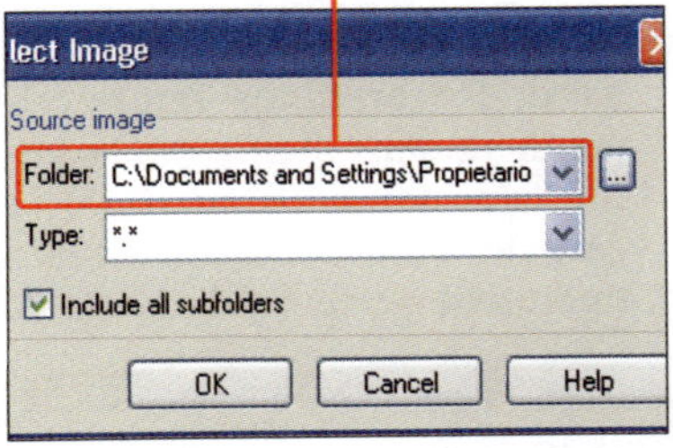

Para eso pincha en el pequeño botón que encontrarás al lado del recuadro de las carpetas: ●.

3 Entonces aparece la ventana del explorador de archivos ●, a través del cual tienes acceso completo a todos los archivos y carpetas de tu ordenador. Aquí también puedes seleccionar la carpeta deseada.

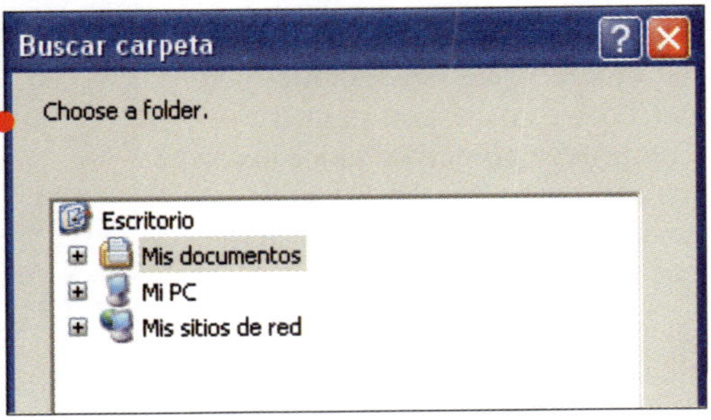

Cuando hayas encontrado y seleccionado tu carpeta de fotos ●, lo siguiente es pulsar como de costumbre en Aceptar.

4 A continuación, tu selección aparecerá insertada en la ventana anterior: ●.

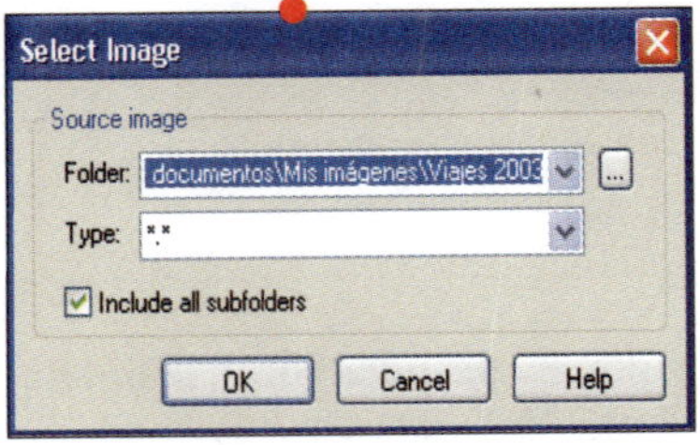

Confirma tu selección con un click sobre el botón OK.

5 Así abres una ventana en la que puedes dar nombre a tu CD de fotos ●.

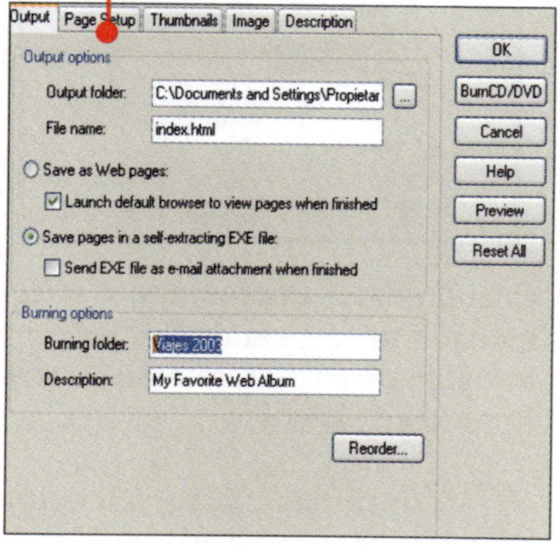

Escribe el título y la descripción que quieras ●

y pincha después sobre la opción BurnCD/DVD para continuar.

6 En la ventana siguiente puedes modificar las indicaciones para tu CD de fotos, según tu gusto ●. Comprueba primero si todos los datos son correctos. En la casilla correspondiente tendría que aparecer el nombre de tu carpeta ●.

● Por defecto se le da un nombre poco explicativo para el CD de fotos ●.

Cambia ese nombre como te plazca ●.

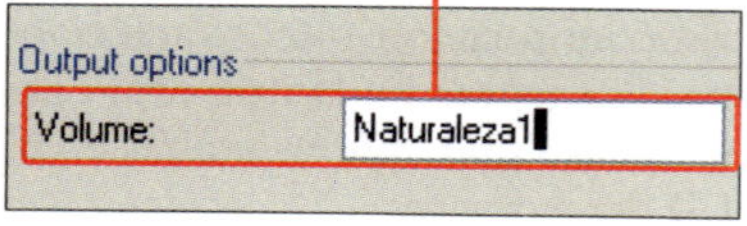

● En la carpeta de trabajo se cargarán los archivos temporalmente durante el proceso de copia. Normalmente aparece la carpeta temporal de tu sistema operativo ●.

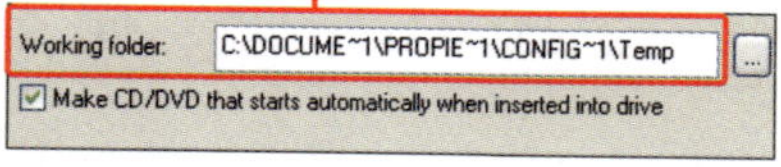

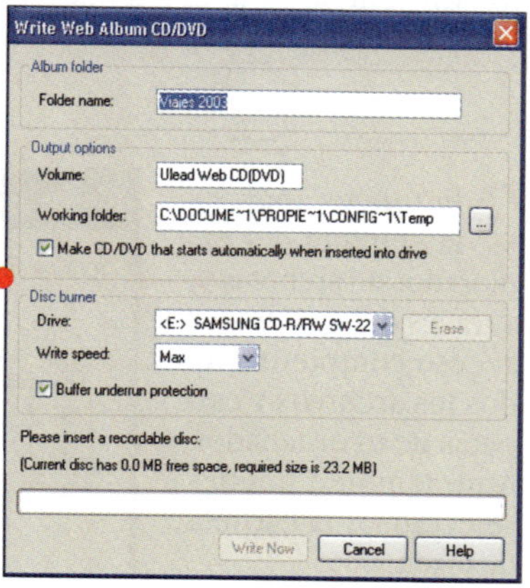

- La casilla que hay al lado de la opción para el inicio automático del CD tiene que estar señalada. Así te aseguras de que tu CD arrancará por sí solo y se mostrarán entonces tus fotos .

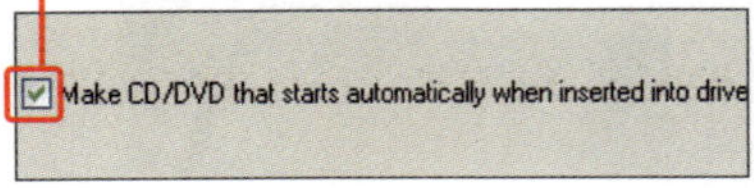

- Como unidad de captura tiene que estar indicada la unidad en la que esté la grabadora de CD .

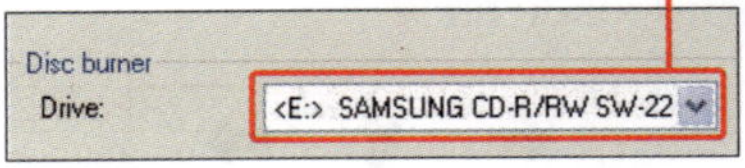

Normalmente, la velocidad de grabación está en posición máxima ,

es decir, la mayor velocidad posible. Y si dejas marcada la opción: ,

te aseguras que no se produzcan errores durante el proceso de grabación.

7 Cuando todos los ajustes sean correctos, coloca un CD grabable virgen en la unidad de tu grabadora de CD y después haz click, abajo en la ventana, sobre la opción Write Now.

8 A continuación, comienza el proceso de grabación. Una vez concluido ,

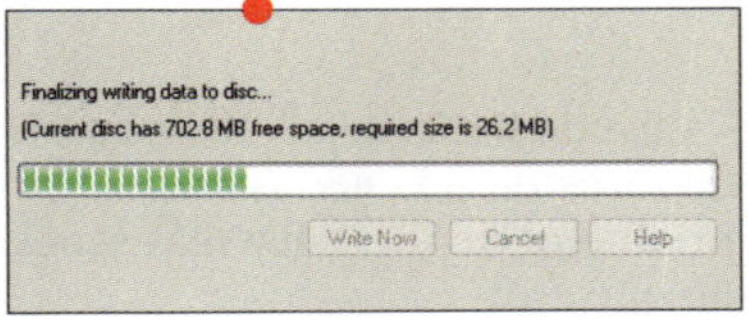

aparece el aviso correspondiente, que tienes que aceptar con un click en .

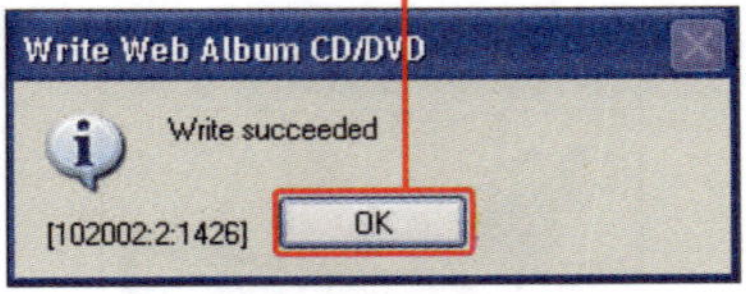

La grabadora expulsará entonces el CD grabado y ya podrás cogerlo.

! Un obstáculo al enviar un e-mail

Si creas un álbum de fotos, tal como se describe en este apartado, no lo envíes con Outlook, en Windows XP, como archivo ejecutable (.exe) (comparar con la ilustración del paso 5) .

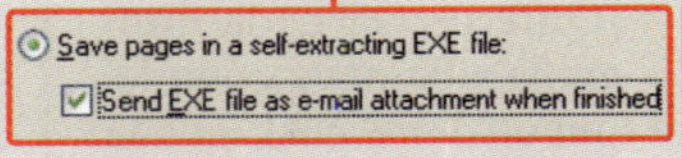

Como Outlook impide, por motivos de seguridad, la transmisión de archivos ejecutables por e-mail, cuando lo intentes sólo te aparecerá un aviso de error: .

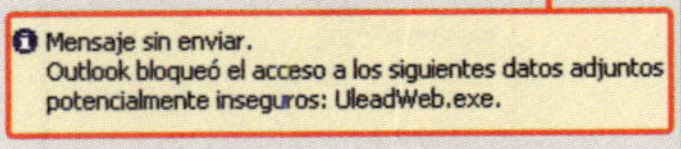

Proyección de diapositivas

Cuando hayas dejado listo tu CD de fotos podrás verlas con un reproductor de CD. Nada más sencillo que eso:

1 Coloca el CD que se acaba de grabar en una unidad de CD-ROM (el CD se inicia entonces por sí solo) ●.

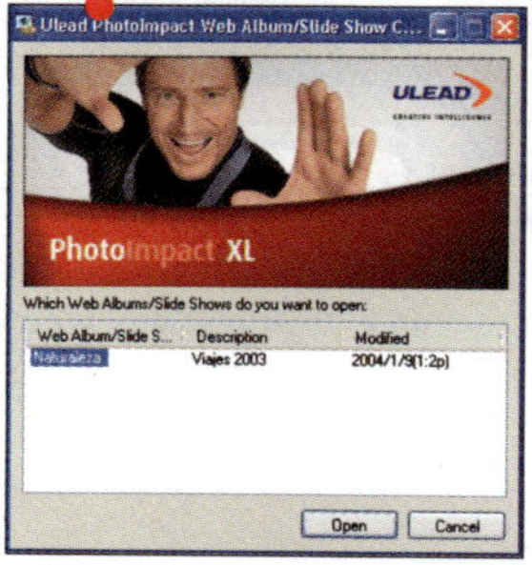

y pulsa en la opción Open. De inmediato se abre tu álbum de fotos electrónico ●.

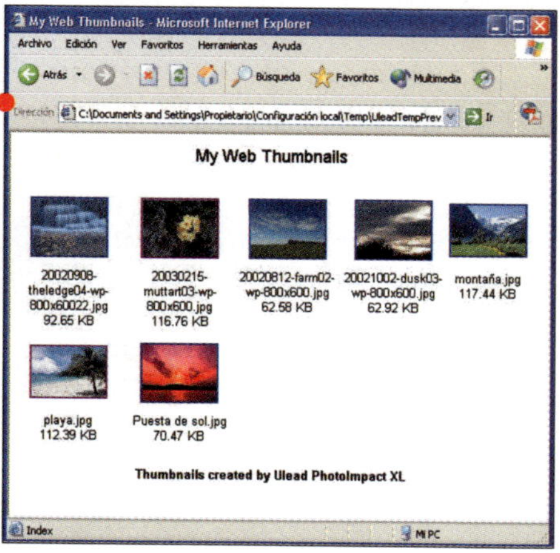

2 ¿Quieres ver cada fotografía a pantalla completa? Con un doble click en una de las fotos en miniatura (en inglés, "thumbnail" significa uña de pulgar) ●,

se ampliará la imagen y la podrás ver con más detalle ●.

3 Ahora puedes "hojear" tus fotos. Para hacerlo, haz click en las flechas que hay encima de la foto correspondiente: ● .

● Si en la proyección de dispositivas pulsas la flecha que señala hacia la derecha ●,

pasas a la siguiente foto que haya en tu álbum digital.

- Si por el contrario haces click en la flecha hacia la izquierda,

aparece la imagen anterior a la que antes habías visto.

- Y con un click en la flecha del centro vuelves otra vez a la vista general de tu presentación de diapositivas (ver paso **1** de este apartado).

7 Revela fotografías a través de Internet

Hay muchas maneras de trasladar las imágenes digitales al papel. Lo más rápido es imprimirlas directamente con tu propia impresora, si tiene prestaciones de impresora fotográfica. También puedes llevar las fotografías digitales a un laboratorio fotográfico guardándolas antes en un disquete o en un CD. Aunque, si quieres ahorrar tiempo, otra posibilidad es revelarlas por Internet. Podrás decidir si quieres revelar las imágenes en **papel fotográfico** de la empresa Kodak o AGFA, o si prefieres enviarlas a una cadena de revelado fotográfico. Tan sólo deberás transferir tus fotos digitales a un laboratorio de Internet y unos días después recibirás las copias por correo postal. Aunque este servicio resulta un poco más caro que las ofertas especiales que siempre pueden encontrarse después de las vacaciones, la ventaja es que puedes hacer un seguimiento de todo el proceso completo confortablemente desde el salón de tu casa.

Sumario de la sección

Revelado en Internet

Con el tiempo, los servicios de fotografía en Internet han crecido tanto, que empieza a ser difícil decidirse por uno de ellos. Desde las grandes compañías de papel fotográfico como AGFA, pasando por los tradicionales laboratorios fotográficos que han sabido adaptarse a Internet, hasta las grandes superficies como El Corte Inglés. Todos ofrecen un servicio de revelado de fotografías digitales económico, rápido y de buena calidad. A continuación, te mostramos unas cuantas opciones para que la elección no sea tan complicada.

AGFA

El fabricante de papel fotográfico AGFA ofrece el servicio de revelado de fotografías digital a través de Internet. Es evidente que recibirás tus fotografías en papel fotográfico AGFA.

http://www.agfanet.com/es

Kodak

También puedes solicitar copias de tus fotografías digitales con el servicio Kodak Express online.

http://wwwes.kodak.com/ES/es/consumer/kex/index.shtml

Bonusprint

Bonusprint es una de las empresas que ofrecen el servicio de revelado online e incluye, además, un software especial para transferir tus fotografías hasta su laboratorio, que podrás descargar desde la misma página web.

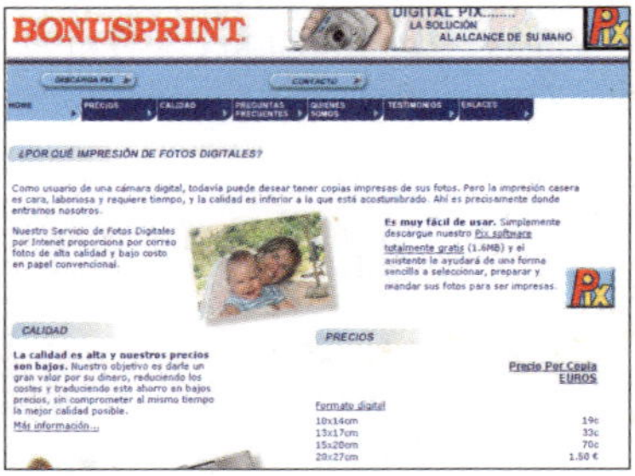

http://www.bonusprint.com/es/digital/index.htm

El Corte Inglés

Algunas de las grandes superficies ofrecen también un servicio de revelado fotográfico online para tus fotos digitales, que podrás transferir cómodamente desde tu ordenador. Tendrás que registrarte primero como cliente.

En el caso de estos grandes almacenes, no se trata de un servicio fotográfico propio, sino que colabora con *Kodak Picture Center on line*.

http://fotografia.elcorteingles.es/login/validausuario.asp

Fotolab 30

Fotolab 30 es una tienda que vende material fotográfico desde hace décadas en el mercado convencional y que ahora ofrece también sus servicios online.

Pulsa en ●, sobre la barra de menús de la web de Fotolab 30, para que se abra esta nueva ventana ●,

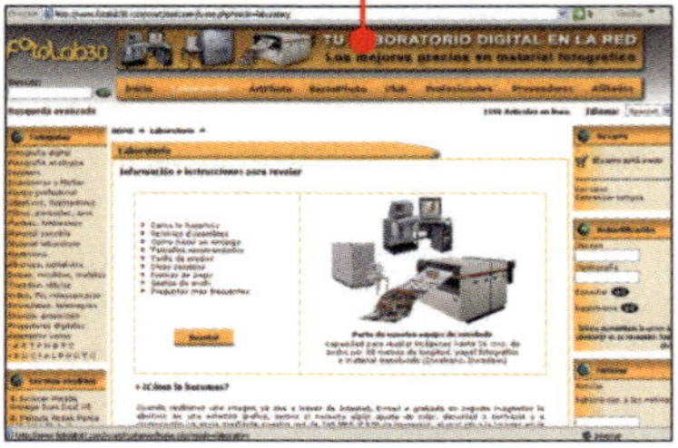

en la que encontrarás información detallada de cómo se realiza todo el proceso del envío de material.
http://www.fotolab30.com/xcart/customer/home.php

Fotosi

Fotosi es otra de las empresas a las que puedes enviar tus fotos digitales por correo electrónico. Y luego, si quieres, puedes tenerlas estampadas en una camiseta, en una taza o en una gorra.

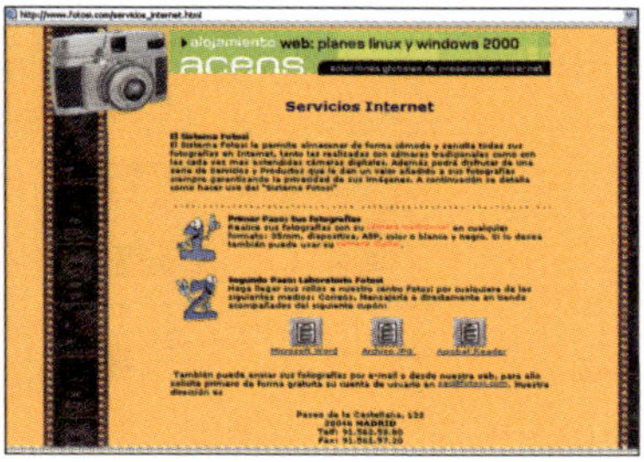

Otro de los servicios que ofrece es la posibilidad de almacenar tus fotografías en un álbum virtual, para que puedan verlas tus amigos y familiares. Disponer de un álbum de fotos electrónico es una buena idea para que todas las personas que tú quieras accedan a él desde cualquier parte del mundo y a cualquier hora del día o la noche. ¿Te imaginas que tu amiga, la que vive en Canadá, vea dentro de diez minutos qué bien has apagado las velas del pastel de tu cumpleaños esta tarde?
http://www.fotosi.com/servicios_internet.html

Sinrollos.com

Esta empresa ofrece desde el año 2000 la posibilidad de crear un álbum electrónico para publicar tus fotos en Internet. También puedes encargar copias de tus fotos.

Una de las ventajas de la página web de Sinrollos.com es que en ella podrás encontrar información muy detallada acerca de cómo subir tus fotografías al álbum digital, además de cómo crearlo.

http://www.sinrollos.com

Prepara las imágenes para enviarlas

Está claro que puedes enviar las fotografías de tu cámara digital sin necesidad de ninguna preparación previa, pero el resultado será mucho mejor si tienes en cuenta los siguientes puntos:

- Las fotos de las cámaras digitales tienen un formato de 3:4 en lugar de 2:3, como en las cámaras convencionales. Por otro lado, en los laboratorios fotográficos, el tamaño estándar es 10 x 15 cm, en lugar de los 10 x 13 cm de la imagen digital. Por este motivo es aconsejable recortar las fotografías para que queden bien ajustadas en el papel.

- Además, al tomar las fotografías la resolución debe ser, como máximo, de 300 puntos por pulgada (**ppp**), ya que la gran mayoría de laboratorios trabajan con esta resolución.

- Casi todas las cámaras digitales guardan las imágenes en formato JPEG. Este formato tiene la ventaja de que aunque el tamaño del archivo sea pequeño, la calidad es muy buena. Por este motivo es importante vigilar que no se guardan en cualquier otro formato, ya que cuanto mayor sea el tamaño de las imágenes, más incómodo será el envío de las imágenes a través de Internet.

Software específico

Para enviar tus fotos digitales por Internet a algunas de las empresas que te hemos mostrado anteriormente, simplemente necesitarás conocer la dirección de su correo electrónico y enviarlas como archivos adjuntos, lo mismo que haces cuando le envías una fotografía a un amigo por e-mail en formato JPEG. En cambio, otras ofrecen un software específico para preparar el envío de tus fotografías digitales. Hemos seleccionado dos de estos programas, "AGFAnet Print Service" y "Pix", que puedes descargar gratuitamente en las página web de AGFA y de Bonusprint. Estos programas tienen una ventaja indiscutible si pides copias de tus fotos a través de Internet muy a menudo. Se trata del ahorro del tiempo de conexión, porque con ellos podrás preparar el envío con tranquilidad y conectarte a la Red cuando ya tengas los archivos de imagen listos para enviar. Además, en el caso de "AGFAnet Print Service", también te permitirá llevar a cabo algunas modificaciones en tus fotografías antes de encargar las copias.

Descarga AGFAnet Print Service

Un programa de transferencia para fotos digitales tiene la ventaja de que puedes preparar el envío con tranquilidad sin coste alguno. Con unos clicks del ratón y un poco de tiempo solucionarás el problema rápidamente.

1 En primer lugar, abre tu **navegador** y dirígete a la página de AGFA

insertando en la **barra de direcciones** la dirección que te hemos facilitado en la página 87.

2 Haz click en el vínculo situado en la parte izquierda de la página para descargarte el programa.

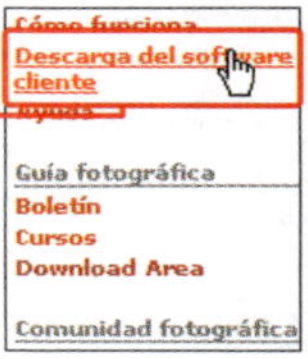

3 Podrás empezar a descargarte el programa en la siguiente página,

sólo tienes que hacer un click en el **hipervínculo** que se corresponda con tu sistema operativo y en el idioma que prefieras.

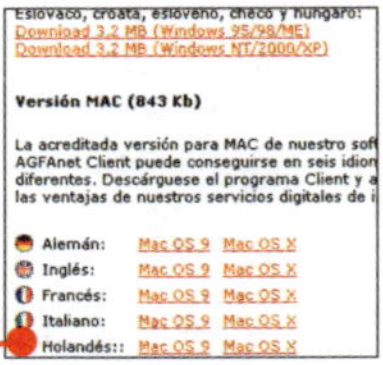

4 Aparecerá un cuadro de diálogo que confirma la versión. Haz click en el botón Guardar.

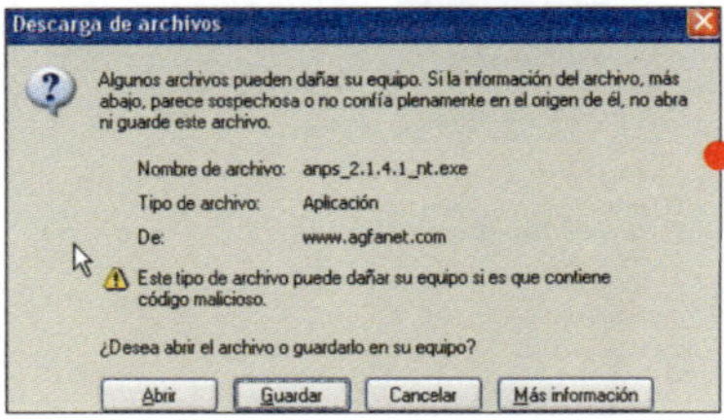

5 Cuando hayas elegido el lugar para guardar el programa en el siguiente cuadro de diálogo

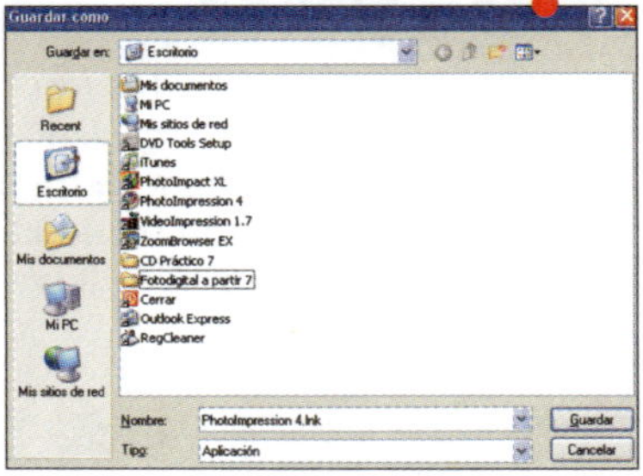

y hayas hecho click en Guardar, empezará a descargarse el programa en tu ordenador.

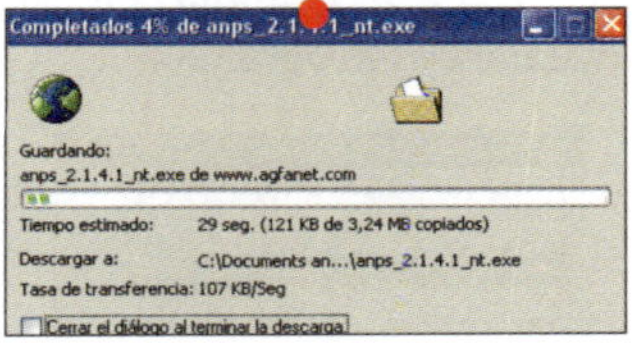

6 Al terminar la descarga del programa, se abrirá un cuadro de diálogo.

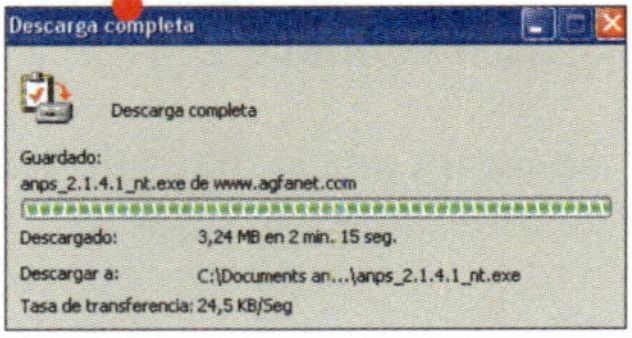

Puedes cerrar esta ventana con un click en Cerrar. Aunque también tienes la posibilidad de hacer click en Abrir carpeta para abrir directamente la carpeta que contiene el programa. Entonces podrás continuar con la instalación.

Instalación de AGFAnet Print Service

Para que puedas enviar tus fotografías al laboratorio de revelado, deberás instalar el programa que acabas de descargar siguiendo el apartado anterior. Para ello, deberás seguir estos pasos:

1 Abre el programa de instalación con un doble click en el icono.

2 Lo primero que tienes que hacer es elegir el idioma en el que se instalará el programa.

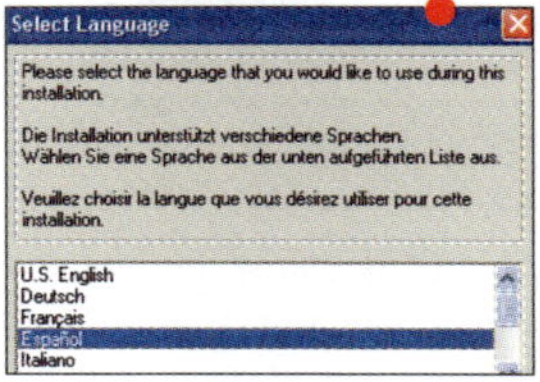

Luego pulsa sobre [OK] para que la instalación continúe.

3 Se abrirá una ventana de aviso recomendándote que cierres todos los programas que tengas abiertos mientras dure la instalación del software.

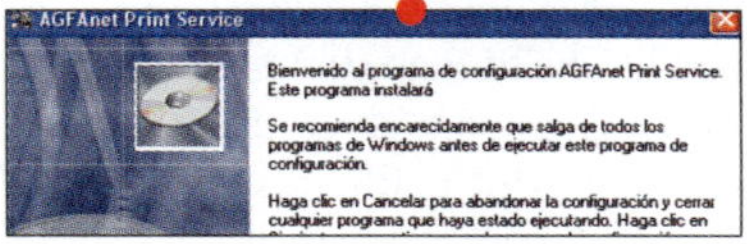

Haz click en [Siguiente >].

4 La siguiente ventana es la del contrato de licencia.

Léelo y, si estás conforme, activa con un click esta opción

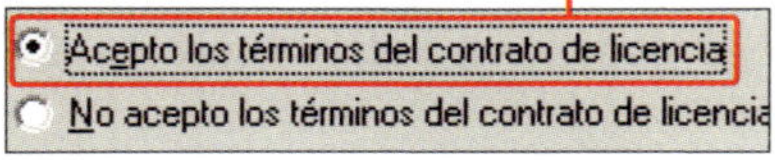

y luego haz click en [Siguiente >].

5 Si estás conforme con la ubicación del programa que se te indica,

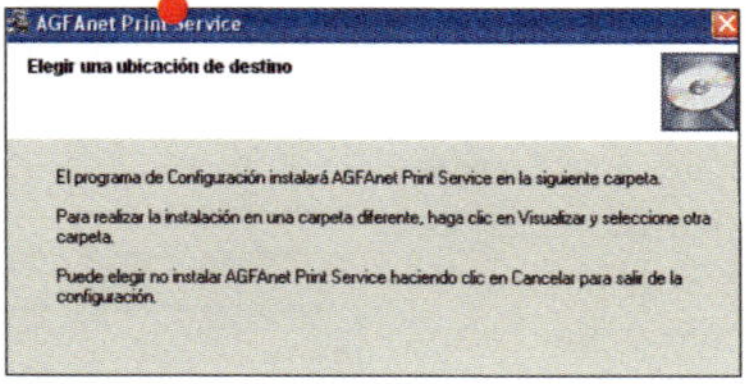

pulsa en [Siguiente >]. Si quieres cambiarla, haz click en [Visualizar.] y elige el directorio.

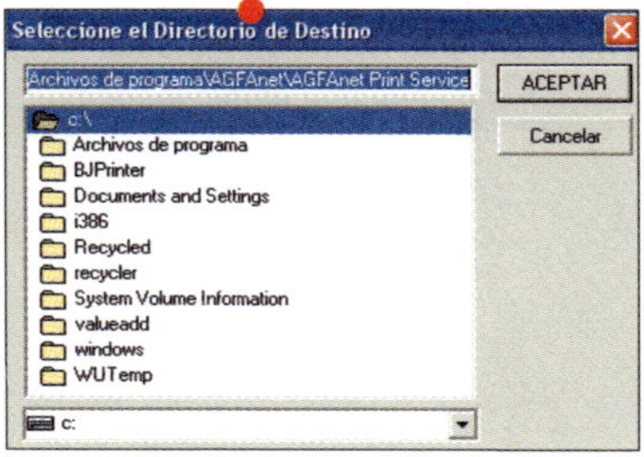

6 Aparecerá una nueva ventana. Pulsa en Siguiente > para continuar.

7 A continuación puedes ver el progreso de la instalación.

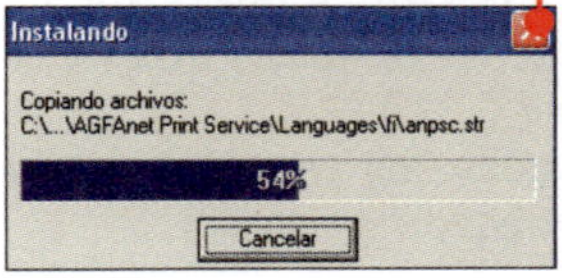

En la última ventana,

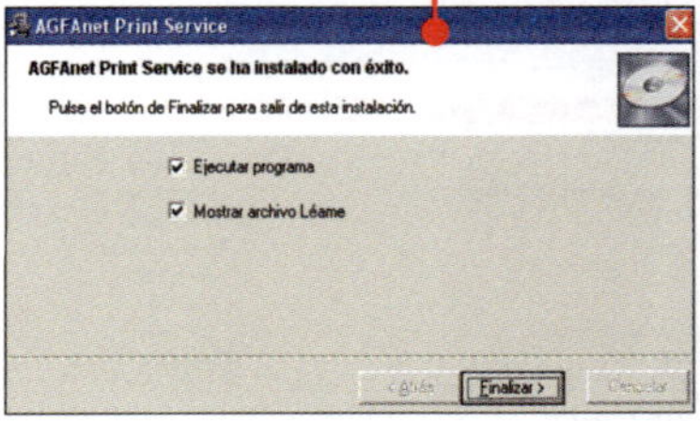

haz click en Finalizar > para cerrarla. El proceso ha finalizado.

Configura AGFAnet Print Service

Ya tienes instalado "AGFAnet Print Service" en tu ordenador. Ahora debes **configurarlo** para que puedas utilizar el servicio fotográfico de manera sencilla, cómoda y barata.

1 El programa "AGFAnet Print Service" se encuentra en la lista de programas. Para abrirlo tienes que hacer click en Inicio, después en la entrada Todos los programas, lleva el ratón hasta AGFAnet Print Service y finalmente elige AGFAnet Print Service.

2 Para continuar configurando el programa de transferencia tendrás que conectarte a Internet. Primero aparecerá la ventana de bienvenida

y, de inmediato, un formulario

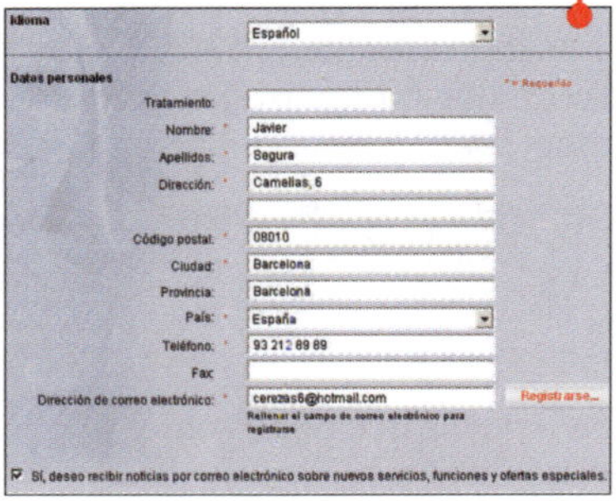

en el que tendrás que introducir tus datos en los campos solicitados, incluida una dirección de correo electrónico. Cuando hayas terminado, pulsa en Registrarse... .

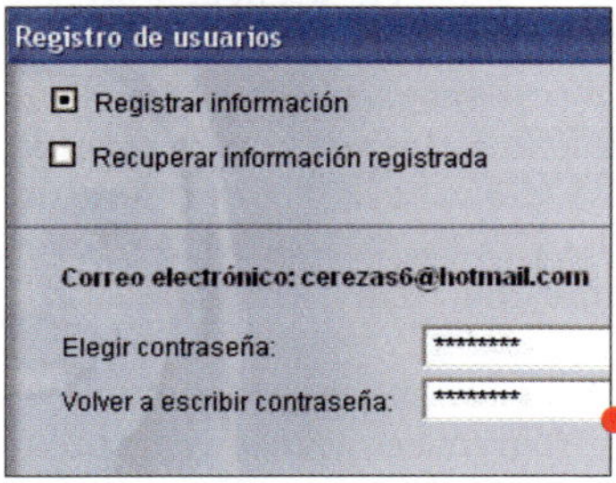

3 Necesitarás una **contraseña** para realizar el pedido de tus copias. Primero, introdúcela en la casilla correspondiente y luego repítela en la de abajo para mayor seguridad. Después, haz click en la opción Remitir.

4 El proceso de registro se iniciará

y, cuando termine, aparecerá el aviso de que ha finalizado correctamente.

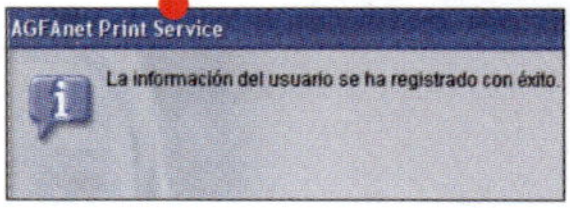

Sólo queda que pulses en el botón Aceptar.

Encarga las copias

Antes de transmitir los archivos fotográficos, deberás insertarlos en el programa. Para ello, sólo tienes que seguir estos pasos:

1 Una vez hayas terminado el proceso de configuración y registro, tal como se indica en el anterior apartado, tendrás que elegir una de las tiendas. Pulsa en la opción Seleccionar tienda y escoge entonces una entre las que incluye el listado.

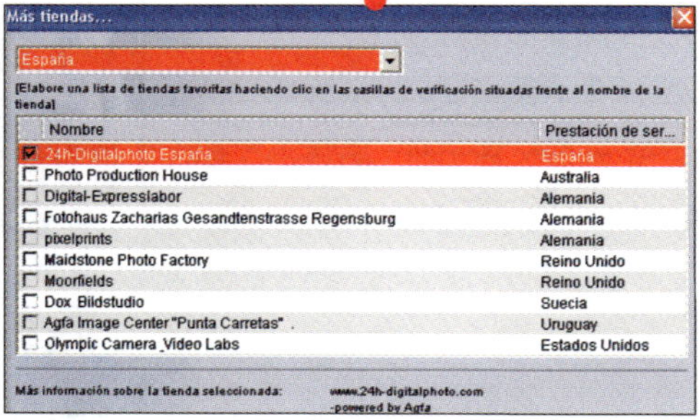

Haz click en Aceptar.

2 Aparecerá una ventana con los diferentes precios, según las medidas de las copias fotográficas.

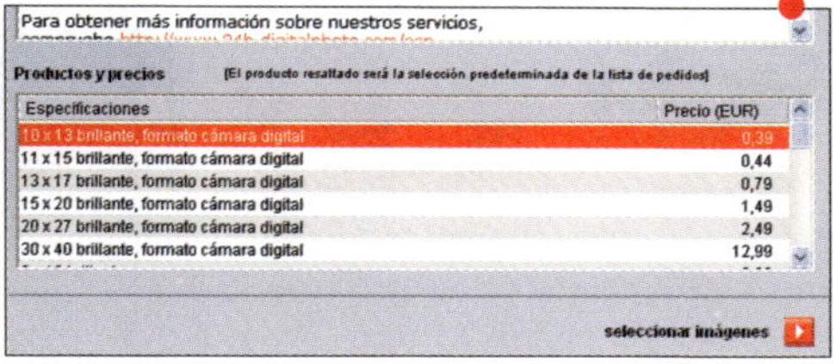

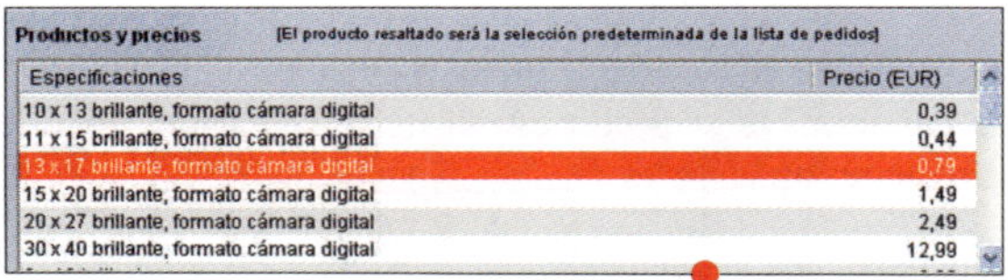

3 Selecciona la oferta que te interese entre las que te ofrece el programa, con un click para que se marque ●.

4 Haz click en este botón ● para comenzar a elegir las fotografías que vas a enviar.

5 En la siguiente ventana ●, busca en las carpetas de tu directorio, hasta que localices las fotografías.

6 Si quieres que se muestre una vista en miniatura de las mismas ● en la ventana de la derecha, fíjate en

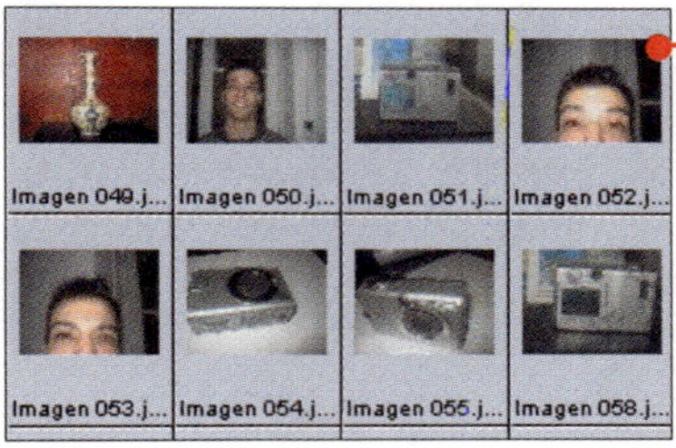

que esté seleccionada esta opción ●.

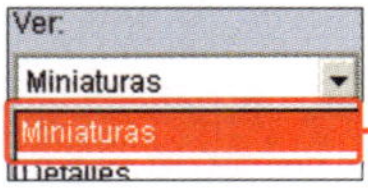

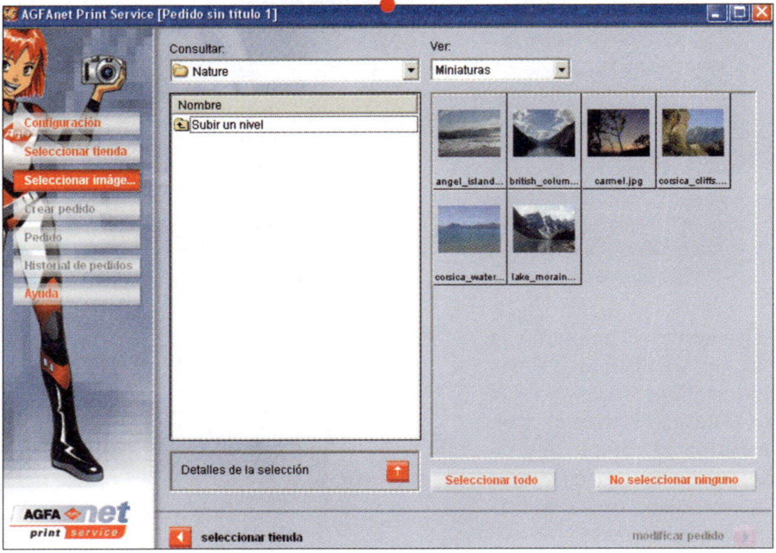

7 Haz click en Seleccionar todo si quieres seleccionar todas las fotografías que hay en la carpeta. De esta manera, todas las imágenes aparecerán marcadas.

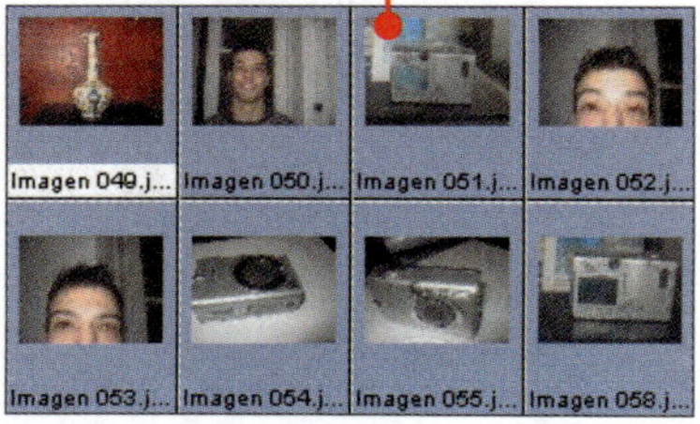

Si pulsas en la pequeña flecha de esta opción,

podrás comprobar que se han seleccionado todas y verlas, en detalle, una a una.

En este caso, por ejemplo, se trata de que la imagen es demasiado grande. Sólo tienes que pulsar sobre

para solucionarlo.

9 Si lo prefieres, puedes seleccionar las fotografías una a una con un click,

e igualmente se mostrarán en la ventalla de detalles. En la parte inferior de la ventana, puedes controlar el número de fotos y lo que pesan en total,

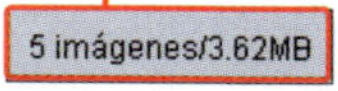

un dato importante cuando se realiza un envío por Internet.
Por último, pulsa en

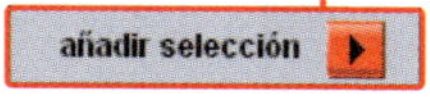

para continuar con el proceso.

8 Ahora es el momento de ver si existe algún problema. El propio programa te avisará, si éste es el caso, mediante el símbolo ⚠ en la lista de fotos. Y en el área inferior, te informará del problema concreto.

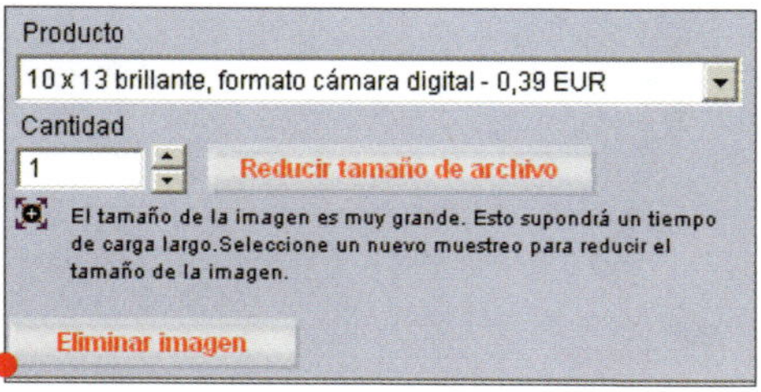

Pulsa sobre el botón Aceptar para que finalice todo el proceso. Puedes hacer click en Imprimir si quieres imprimir esta ventana como comprobante.

12 Luego, en la ventana siguiente,

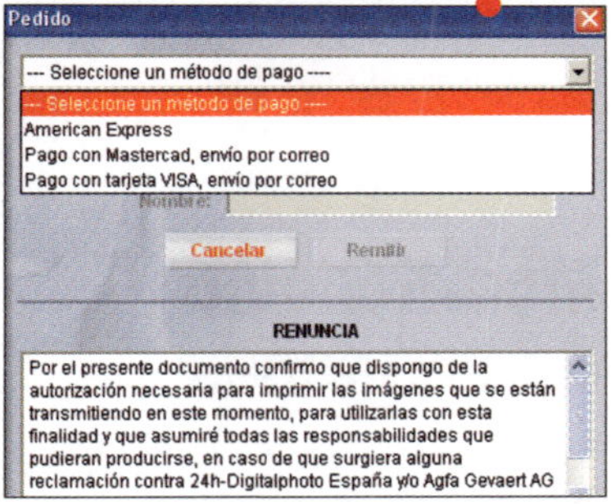

pulsa en Remitir pedido para que se lleve a cabo de inmediato, o en remitir el pedido más tarde si prefieres enviarlo en otro momento. Si te has decidido por enviarlo

10 Ya puedes ver el resultado de tu selección. Los precios se basan en el número y en el tamaño de las fotos, aunque también debes tener en cuenta los costes de envío. Y todavía estás a tiempo de eliminar alguna de las imágenes que puedes ver,

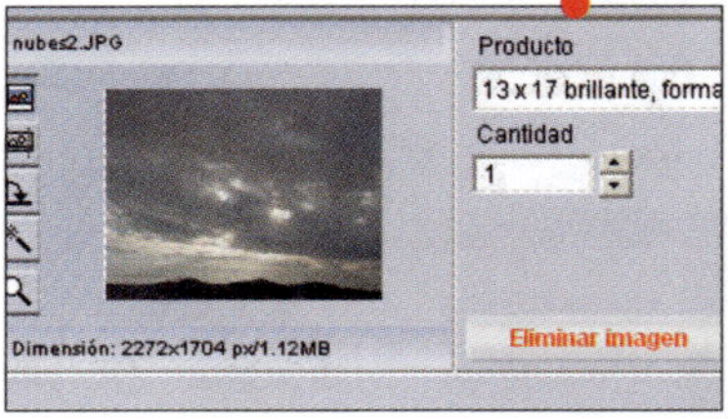

haciendo click en la opción Eliminar imagen. Si estás conforme con la selección y el precio total, pulsa en.

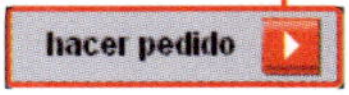

11 Se abrirá otra ventana con la factura del pedido.

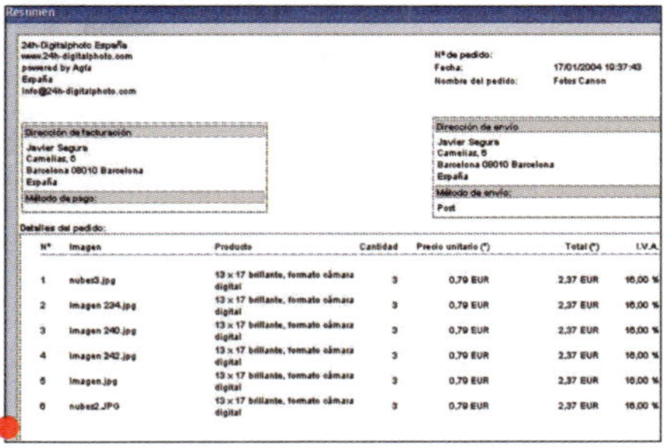

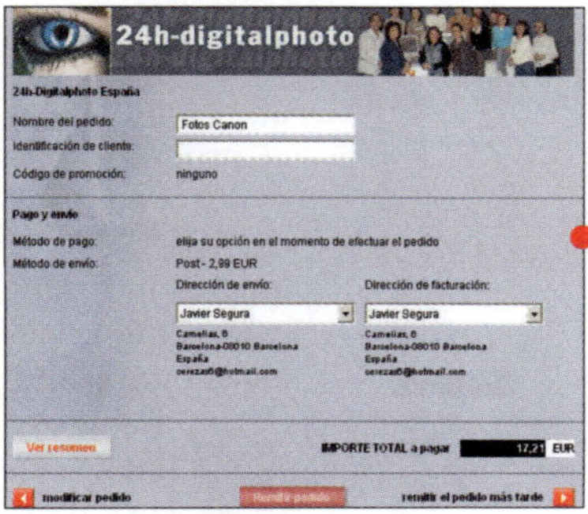

ahora, aparecerá la última ventana del proceso en la que deberás elegir el sistema de pago y rellenar los datos de tu tarjeta de crédito. La transmisión se realiza con toda seguridad.

Modificación de imágenes

Antes de transmitir las fotografías al laboratorio, el programa "AGFAnet Print Service" que te has descargado te permite realizar sencillas modificaciones y retoques en las imágenes.

1 Si quieres retocar una foto antes de enviarla, haz doble click sobre ella en la lista de imágenes

o bien en la pequeña pantalla de detalles,

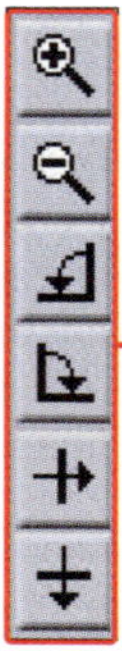

para luego editarla en una ventana mayor.

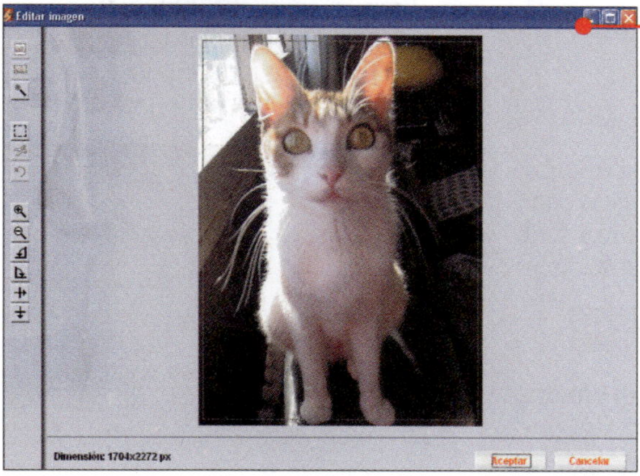

2 Gracias al menú de herramientas situado en la parte inferior izquierda de la ventana, puedes ampliar

o bien reducir la imagen.

- También te facilita la rotación de la imagen hacia la derecha

o la izquierda .

- Y voltearla en sentido horizontal

o vertical .

3 A menudo, el motivo principal de una fotografía tiene otros elementos alrededor que quizás no quieres que salgan en la fotografía final. Este problema se soluciona en unos minutos. Para recortar la fotografía , primero pulsa sobre el icono ,

luego selecciona el recorte arrastrando el puntero del ratón

y, finalmente, haz click en .

4 En la siguiente pantalla, aparecerá el resultado de la foto recortada .

5 Pero todavía puedes mejorar la calidad de la imagen obtenida. El icono

corresponde a la varita mágica. Si pulsas sobre él, la fotografía activa mejorará en lo que se refiere a la luminosidad y al contraste de forma automática.

6 Por último, los dos iconos

situados en la parte superior de la barra de herramientas del programa, no siempre están activos. Se activarán si es necesario que el tamaño de la fotografía debe adaptar su tamaño al formato escogido. Esto impedirá que, por ejemplo, quede una franja blanca en la parte superior e inferior de la copia, o bien que se pierda parte de la fotografía en los laterales izquierdo y derecho.

7 Si estás satisfecho con los resultados finales, pulsa ahora sobre el botón Aceptar para que se puedan guardar todas las modificaciones que has hecho.

Descarga Pix

El proceso de descarga del software para la transferencia de fotografías que te ofrece Bonusprint es muy similar al del programa anterior, "AGFAnet Print Service".

1 Abre tu navegador y, en la barra de direcciones, escribe la **URL** del laboratorio fotográfico Bonusprint http://www.bonusprint.com/es/digital/index.htm para que aparezca su página web.

2 En la parte superior de la página, verás el botón del enlace para la descarga del programa "Pix".

Pulsa sobre él para que se inicie el proceso de descarga.

3 Aparece una nueva página del laboratorio fotográfico, en la que te indican los requisitos necesarios del sistema de tu ordenador. Pulsa ahora sobre este botón:

4 La ventana de descarga aparecerá de inmediato.

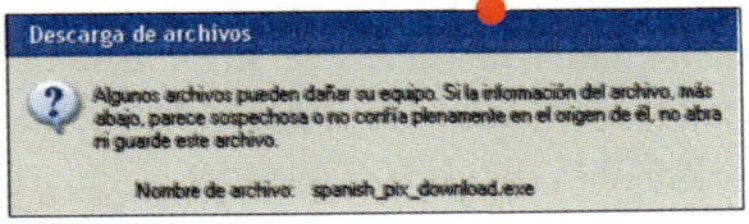

Haz click en Guardar.

5 Elige la carpeta en la que quieres que se instale el archivo y luego pulsa en Guardar.

Instalación de Pix

El proceso de instalación del programa que te ofrece Bonusprint es también muy sencillo. Sólo tienes que seguir estos pasos:

1 Haz doble click en el icono del archivo descargado.

2 En la primera pantalla de instalación,

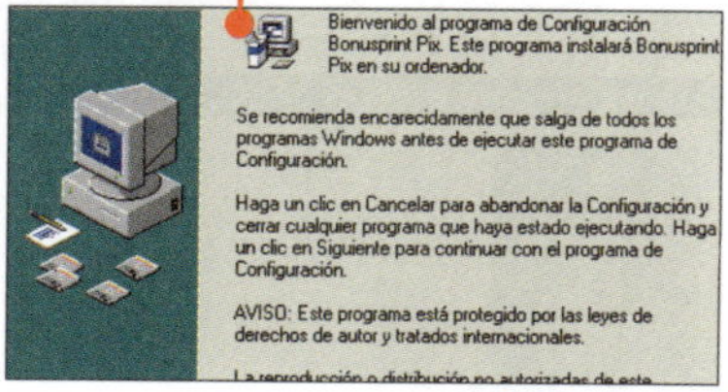

haz click en el botón Siguiente >.

3 Acepta los términos y las condiciones para la instalación del software,

con un click en Siguiente >.

4 Si estás conforme con la ubicación de la carpeta que contendrá el programa,

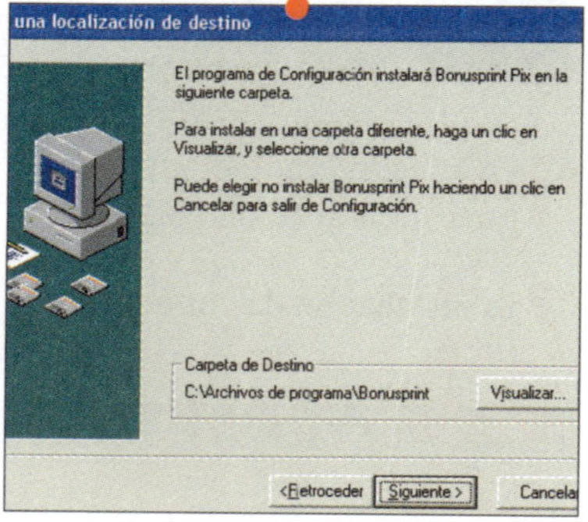

pulsa en Siguiente > para continuar con la instalación.

5 Si, por el contrario, quieres que se instale en otra carpeta, pulsa sobre Visualizar..., y se abrirá esta otra ventana para que selecciones

la ubicación deseada.

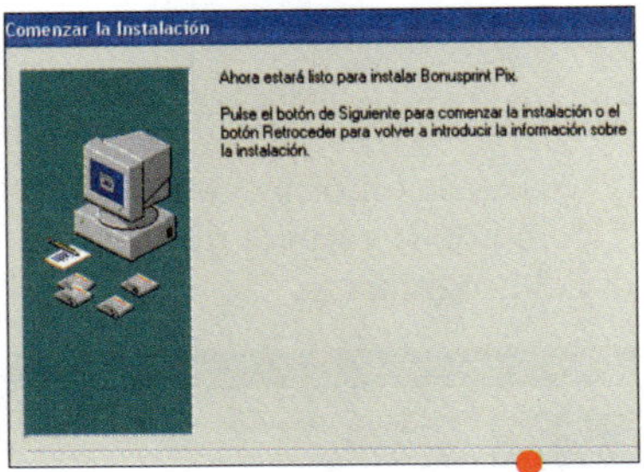

6 En la siguiente pantalla, pulsa de nuevo en Siguiente >.

7 La instalación da comienzo por fin.

Cuando termine, aparece la siguiente ventana, en la que deberás hacer click una vez más en el botón Finalizar> para que concluya totalmente el proceso.

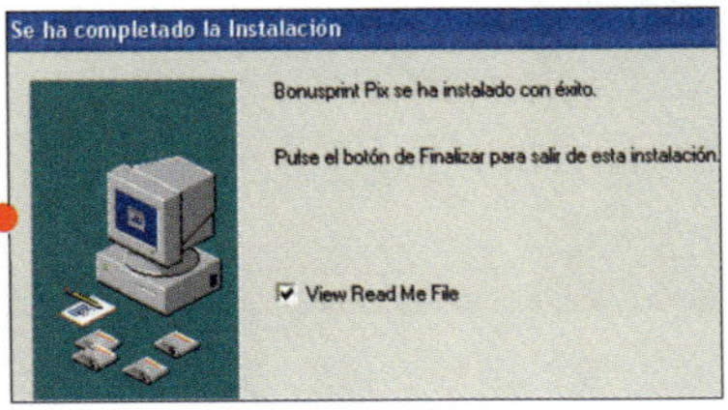

Transferencia de fotos con Pix

Transferir tus fotos hasta el laboratorio fotográfico con el programa "Pix" es sencillo y rápido. Repasa, si es necesario, todo lo que te hemos explicamos anteriormente en este mismo capítulo sobre el formato ideal de las fotografías que se envían por Internet y sigue estos pasos cuidadosamente:

1 Haz un doble click sobre el icono del programa que se habrá instalado en tu Escritorio para que se inicie.

2 La primera pantalla que aparecerá es la de bienvenida.

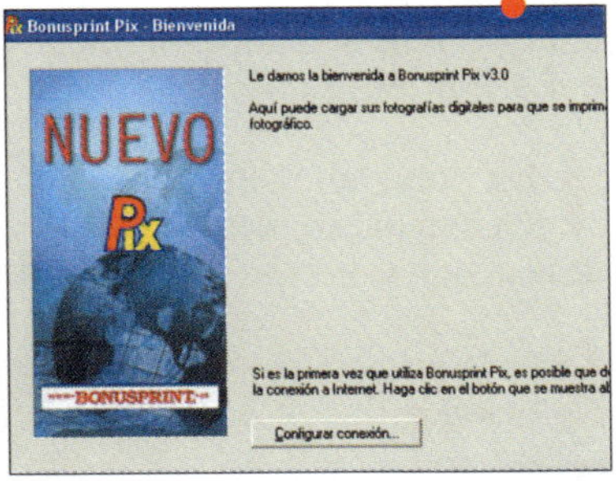

En la misma, hay un botón para configurar la conexión a Internet, si es necesario.

De momento, es mejor que hagas click en el botón Siguiente > para continuar. Siempre podrás volver a esta pantalla

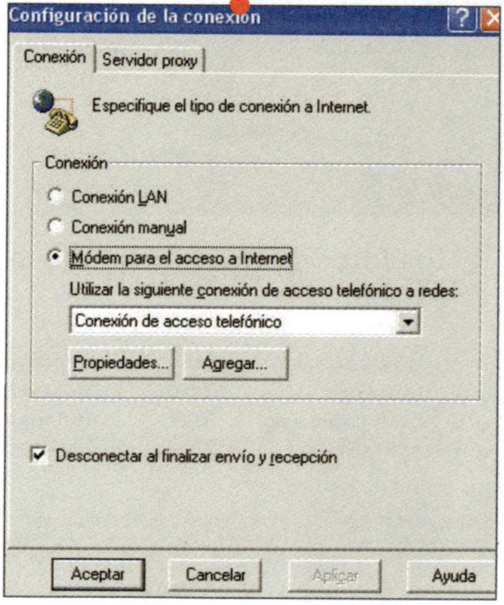

para configurar tu conexión a la Red si es necesario.

3 Tendrás que estar conectado a Internet para configurar el programa, puesto que debe comunicarse con el servidor.

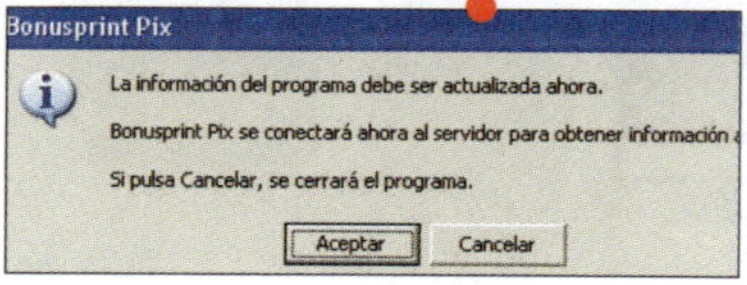

Haz click en Aceptar.

4 El programa actualizará la información.

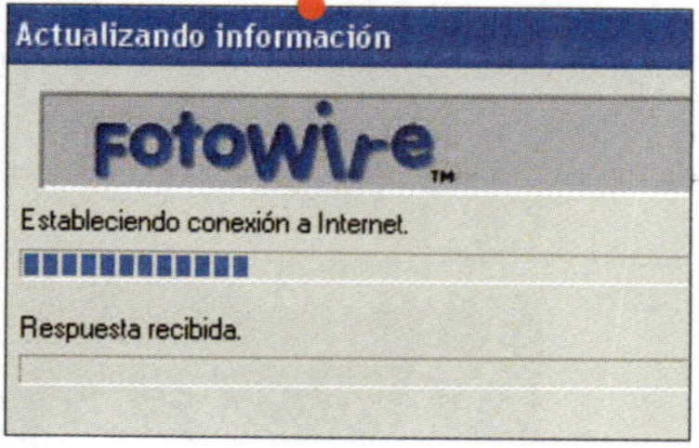

A continuación, aparecerá el siguiente formulario, que debes rellenar con tus datos.

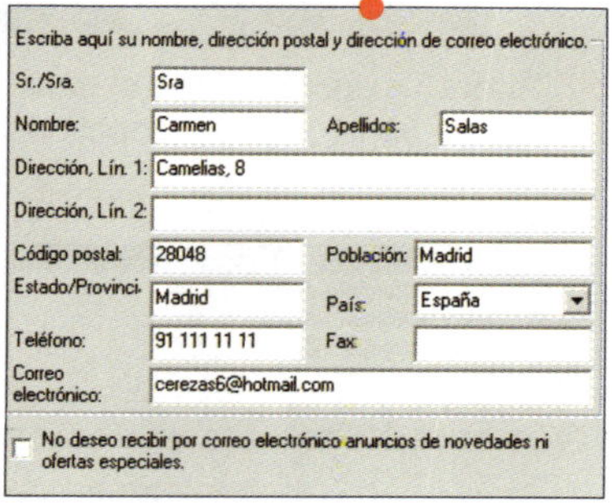

Cuando hayas terminado, haz click en la opción Siguiente >.

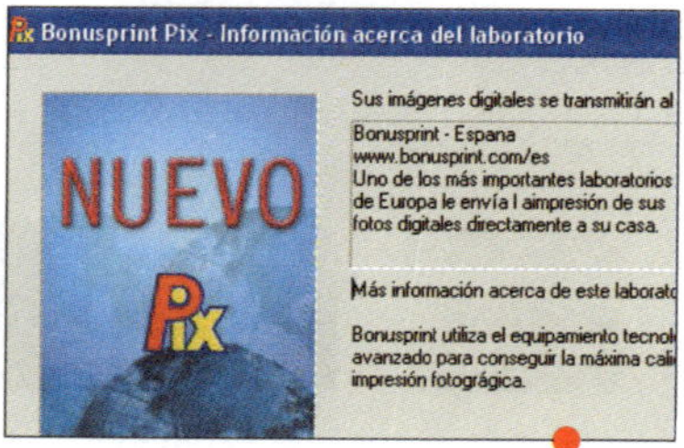

5 En la siguiente ventana, pulsa una vez más en Siguiente >.

6 Ahora, ya puedes elegir el tamaño del papel para tus copias,

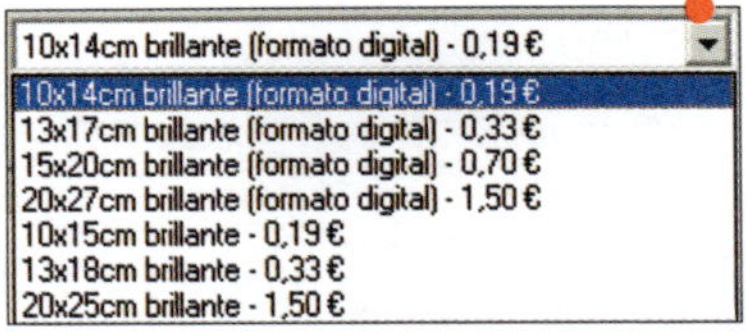

y pulsar en el botón

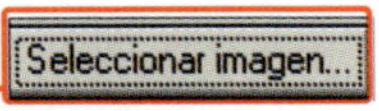

para escoger las imágenes que quieres enviar al laboratorio con un doble click.

7 Las fotos se irán añadiendo al programa

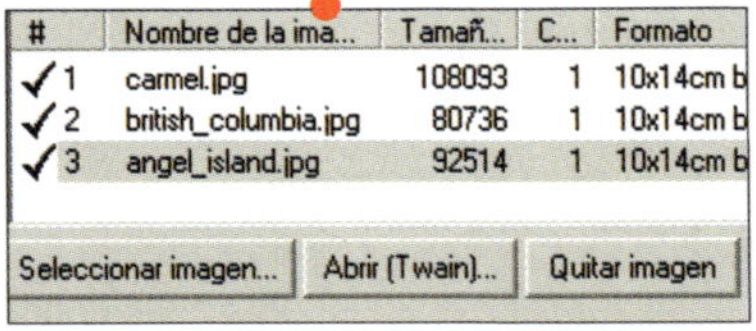

y si pulsas en el botón,

se activará un visor en el que puedes llevar a cabo pequeñas modificaciones con las he-

rramientas situadas en el lateral izquierdo.

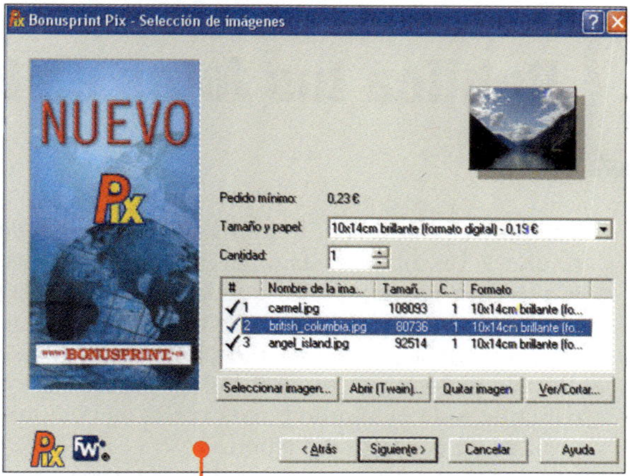

8 Pulsa en [Aceptar] para volver a la ventana anterior, y haz click en [Siguiente >].

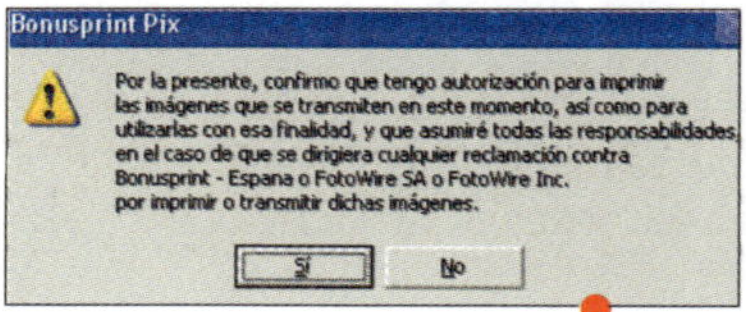

9 En la siguiente ventana, da tu conformidad con un click en el botón [Sí].

10 Ya sólo te queda insertar los datos de tu tarjeta de crédito y pulsar en [Siguiente >] para que se inicie el envío de tus fotos.

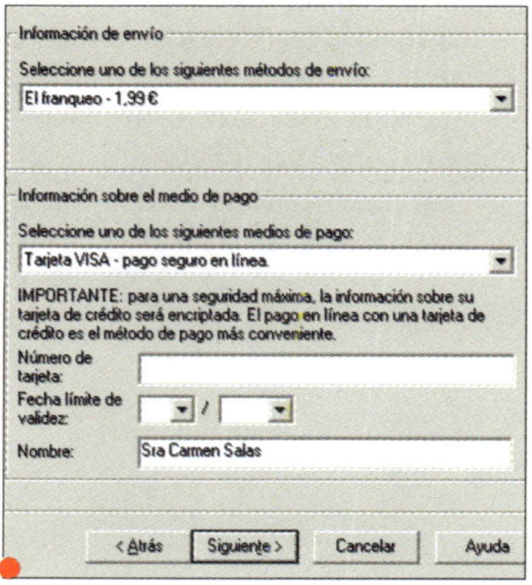

8 Publica tus fotos en Internet

Es muy cómodo ver fotografías en la pantalla de tu ordenador. Claro que, si tus amigos o familiares quieren ver tus fotos, tendrán que ir a tu casa. Es bien cierto que también existe la posibilidad de grabar tus fotos en un CD, enviarlas por correo electrónico, o imprimirlas y enviarlas por correo postal. Pero la manera más vanguardista de mostrar tus fotografías, hoy por hoy, es colgarlas en Internet para que todo el mundo pueda verlas en cualquier momento sin necesidad de moverse del sillón.

Si tienes acceso a Internet y un espacio reservado para guardar datos, puedes subir tus fotos como una página web. Pero si sólo tienes acceso a Internet y no dispones de espacio web, existe la posibilidad de publicar las fotos a través de un servicio gratuito. Los fabricantes de impresoras suelen ofrecer este tipo de servicio, pero también encontrarás esta posibilidad en las páginas web de programas gráficos como "PhotoImpact", que ya conoces de capítulos anteriores. Como podrás comprobar, los costes serán únicamente los de la conexión para subir las imágenes a Internet, si no tienes tarifa plana o conexión **ADSL**.

Sumario de la sección

Crea un álbum para la Web

Para que tus fotos se vean bien en Internet, debes retocarlas un poco. En los capítulos 5 y 6 de este libro se ha explicado cómo hacerlo. Para saber cómo hacer un álbum de fotos y colgarlo en Internet, ten en cuenta los siguientes pasos.

Tu página web con "PhotoImpact"

Es evidente que puedes crear un álbum de fotos para Internet con la ayuda de un programa especial como "Microsoft Frontpage", pero seguramente te resultará más fácil si utilizas las funciones de retoque de "PhotoImpact".

1 Abre "PhotoImpact", desde el Escritorio, con un doble click en el icono del programa.

Si ves que el icono no aparece, haz click primero en Inicio, luego en Todos los programas, Ulead PhotoImpact XL

y por último, en la lista que se abre, pulsa el comando.

2 En la ventana del programa que se abre,

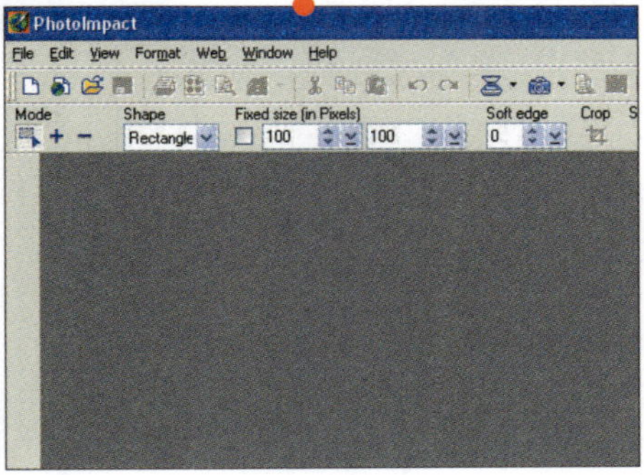

haz click en la barra de menús en

y, en la lista que aparece, elige el comando.

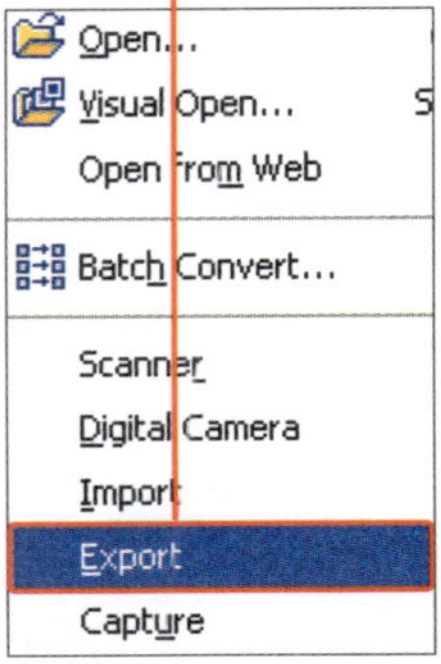

Después, entre las dos opciones, elige la superior.

3 A continuación, se abrirá una ventana y podrás buscar la carpeta en la que se ubican tus fotografías.

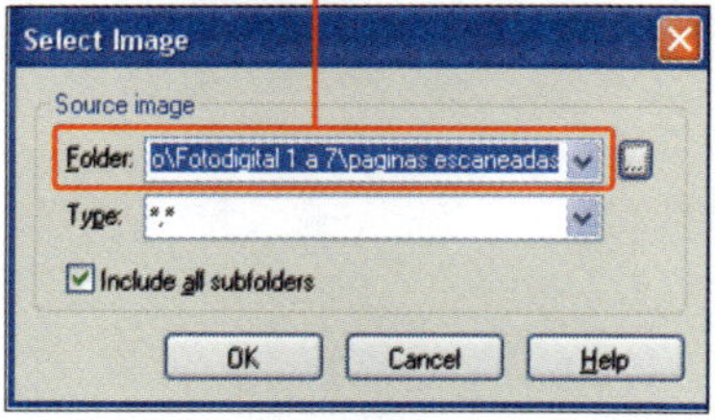

Haz click en el botón,

para que se abra la siguiente ventana, que te facilitará la búsqueda:.

4 Si las fotografías están guardadas en una subcarpeta de "Mis documentos", haz doble click en

y selecciona la carpeta donde están las fotografías con el ratón.

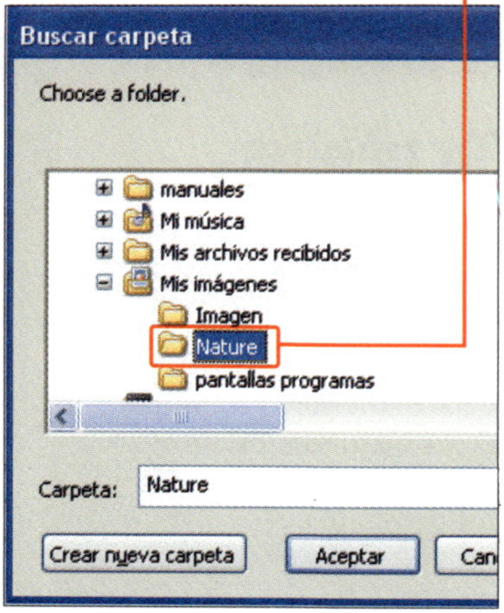

Confirma tu selección haciendo click en Aceptar.

5 Verás que la carpeta que has seleccionado aparece activada en la siguiente ventana.

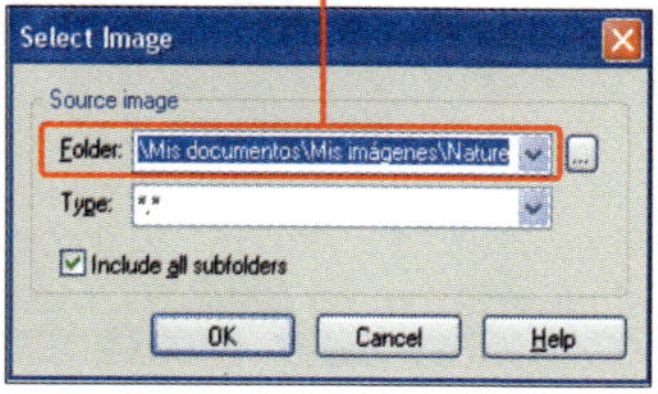

Si haces click en el botón OK, se abrirá la ventana de Web Album.

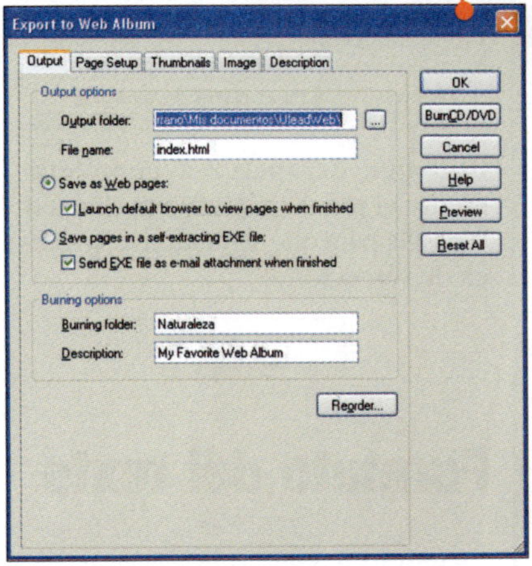

Puedes dejar las opciones de esta ventana como aparecen por defecto. El nombre de la página de inicio de una web, por ejemplo, suele llamarse casi siempre "index.html" o "start.html".

Es necesario que tenga este nombre para que el navegador de Internet que utilices, Internet Explorer, Netscape Navigator u otro, encuentren y muestren la primera página.

6 Si quieres ver tu trabajo justo después de haberlo terminado, haz click en esta opción,

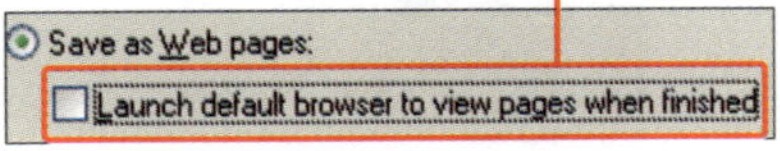

para que se active. Veras cómo aparece una marca al lado,

y también que cuando finalices, se lanza el navegador.

7 Como no quieres enviar tu página web por correo electrónico, vigila que no esté seleccionada esta opción.

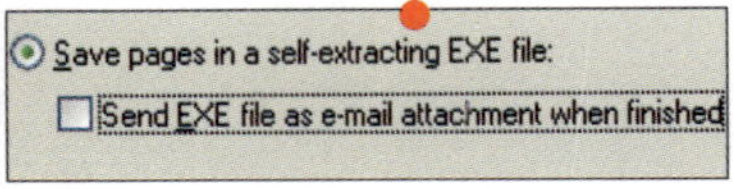

Si está seleccionada, haz click con el ratón para desactivarla.

Personaliza tu página web

A continuación te ofrecemos un par de consejos para configurar tu página web según tus deseos. Puedes darle un título, poner un fondo y escoger el tamaño y el color de la fuente.

1 En primer lugar, haz click en la pestaña

de la ventana del paso **5** del apartado anterior.

En la siguiente ventana, podrás cambiar las opciones de configuración de tu página web.

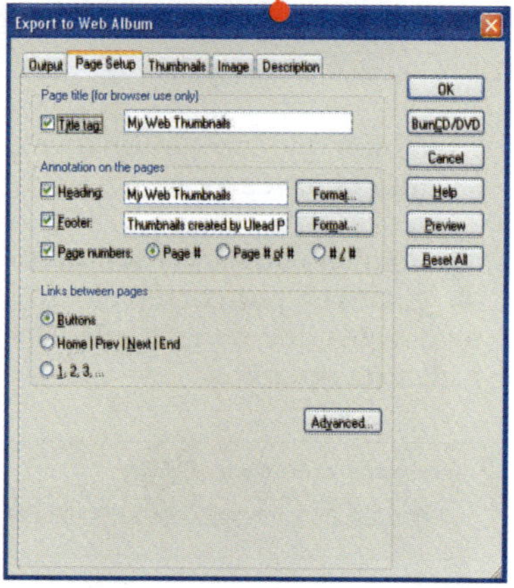

2 A continuación, escribe un título para tu página web.

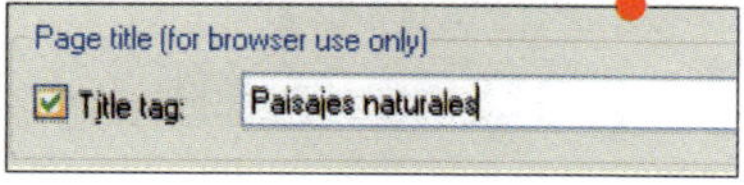

Este nombre no aparecerá en la página, sino que se verá en la **barra de título** del navegador.

3 Después debes escribir el título de la cabecera de la página. Piensa en algo como el siguiente ejemplo.

En el campo inferior aparece un anuncio de Ulead. Puedes dejarlo cómo está, borrarlo o escribir un pie de página.

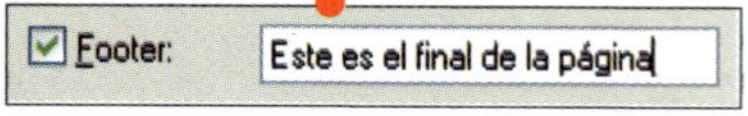

Para que desaparezca completamente el pie de página, haz click en la casilla para que se desactive la marca de selección.

Formato del texto

Cuando navega por Internet, cada internauta puede ver sólo las letras que permite el navegador en su ordenador. Así que intenta no utilizar letras demasiado inusuales al crear tu página web.

1 Para elegir el tipo de letra, en primer lugar haz click en el botón Format... de la misma ventana del apartado anterior. Se abrirá una nueva ventana en la que podrás elegir entre diversos formatos de texto.

2 En la parte superior, elige el tipo de letra. Para ello haz click en la pequeña flecha

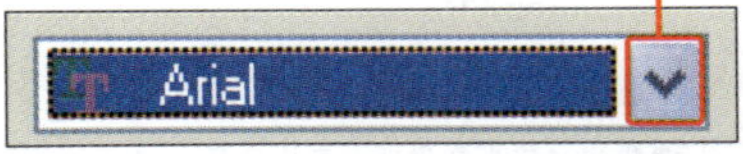

y selecciona con el ratón el tipo de letra deseado, por ejemplo .

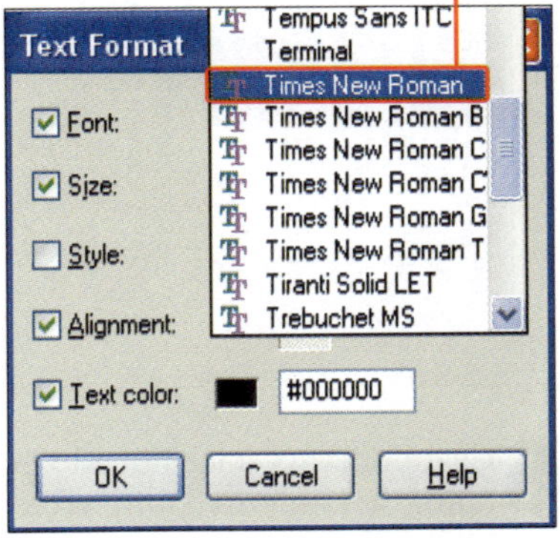

Cuando lo selecciones, verás una muestra del tipo de letra seleccionado .

3 También es posible elegir el tamaño de la letra. Sólo tienes que pulsar en la pequeña flecha al lado de la casilla en la que se indican los tamaños

y se desplegará una lista de ellos entre los que elegir .

4 Elige asimismo el color de la fuente, lo que te resultará tan fácil como todo lo anterior. Cuando pases con el puntero del ratón sobre el área reservada a los efectos de color en el texto ,

verás que aparece el símbolo de un gotero .

En el momento en que hagas click sobre él, aparecerá la siguiente **paleta de color** .

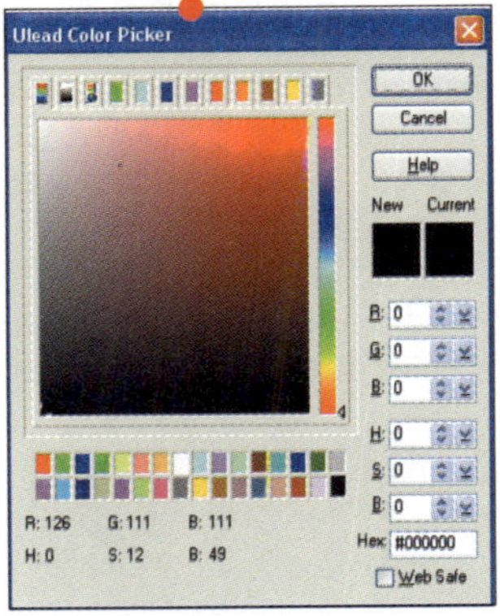

5 Puedes seleccionar el color, directamente con el puntero del ratón, pasándolo por la muestra activa de color.

En este caso, la muestra se basa en las diferentes tonalidades de rojo, pero si prefieres otro color, pulsa en cualquiera de las casillas inferiores con muestras de color,

e inmediatamente cambiará la tonalidad de la muestra principal.

Las casillas superiores, determinan otras modalidades de visualización de la paleta de colores.

6 Cuando hayas seleccionado el color de la fuente, pulsa en el botón OK.

7 Elige también la alineación del texto entre la justificación a la izquierda, a la derecha o centrado.

8 Y, por último, los efectos de formato: resaltado en negrita, cursiva o subrayado.

Para terminar, haz click en OK. Recuerda que todas las opciones de formato que has seleccionado hasta ahora, se aplicarán en el texto de la cabecera de tu página web, sobre las fotografías, pero que puedes realizar una selección similar para el texto que debe aparecer al pie de las mismas.

! Tipos de letra en Internet

En Internet todo es siempre un poco distinto. También sucede con los tipos de letra y debes tenerlo siempre en cuenta para no encontrarte luego con sorpresas. En el navegador de Internet no aparecerán los tipos de letra que has ido seleccionando, sino los que están instalados en el ordenador que accede a las páginas web. Por este motivo, no es aconsejable utilizar tipos de letra exóticos, ya que muy posiblemente no se podrán visualizar luego. En este caso, el navegador substituirá el tipo de letra por otro más asequible. Si utilizas las fuentes "Arial" o "Times" en tu web, podrás estar seguro de que la página se verá tal como la has creado.

Ponle un fondo

Sin un fondo, tu página web puede resultar muy aburrida y vacía. Por otro lado, un fondo demasiado colorido puede hacer que las fotos no se vean bien y causen un efecto desfavorecedor.

1 Para abrir la ventana de configuración del fondo, haz click en la pestaña ●,

de la misma ventana del apartado anterior. Se abrirá una nueva ventana con muchas opciones diferentes ●.

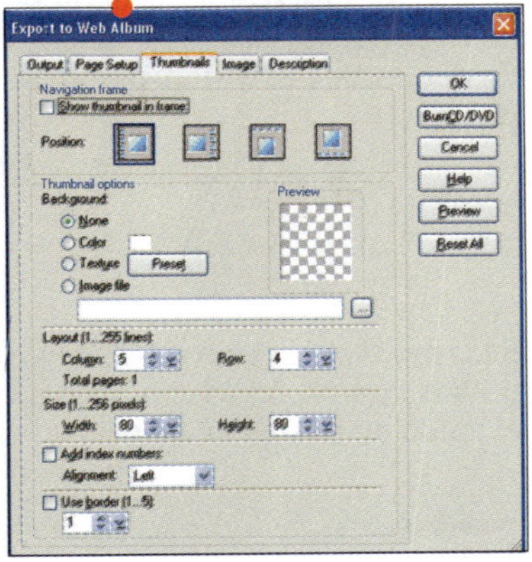

2 Para elegir la textura del fondo, activa la siguiente opción ●

mediante un click. Al pulsar el botón Preset, aparecerán varios fondos disponibles ●.

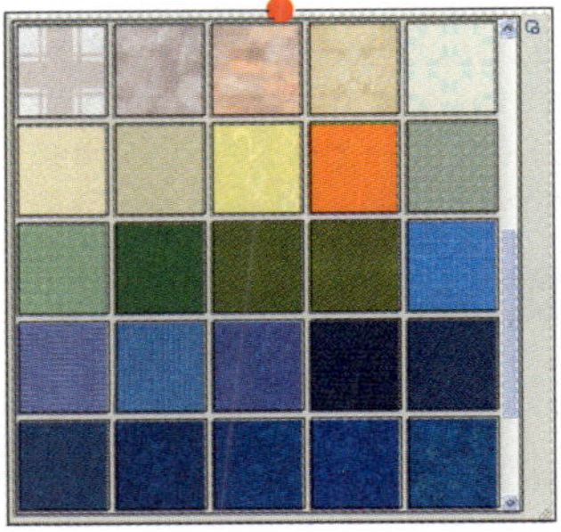

3 Cuando elijas un fondo, debes tener en cuenta que no tenga muchos colores ni sea demasiado abigarrado, ya que puede causar un efecto óptico demasiado pesado en tu página web. Elige uno con un doble click del ratón, por ejemplo éste: .

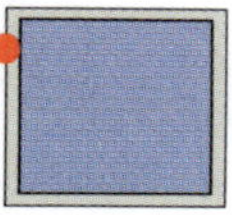

En la ventana de previsualización podrás comprobar cómo quedará el fondo en tu página web .

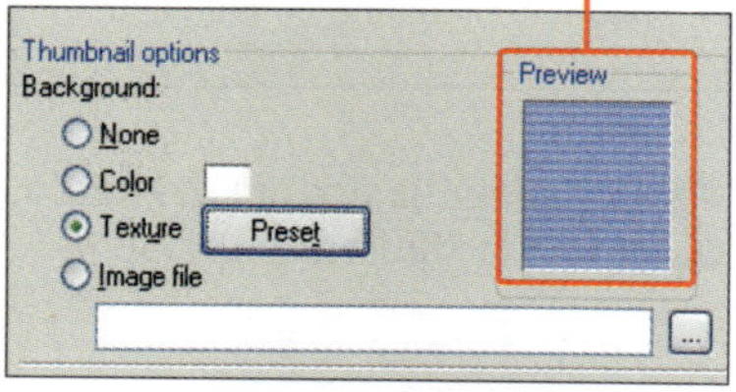

Haz click en Yes como respuesta y tu Web Album se guardará en la carpeta correspondiente.

5 Entonces se abrirá el navegador y se visualizará el álbum de fotos .

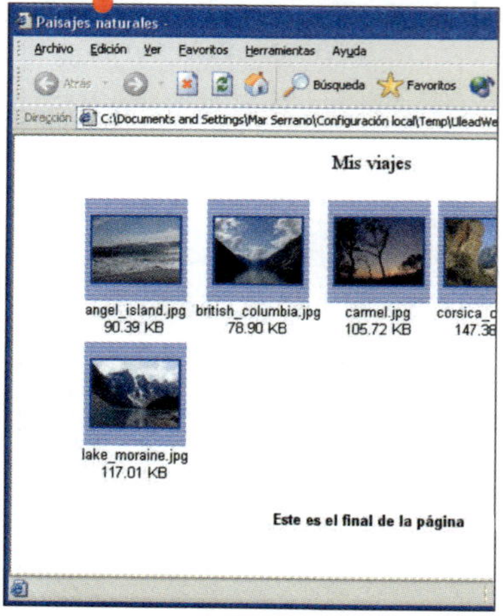

4 Ve experimentando tú mismo el resto de las posibilidades de configuración que te ofrece esta ventana para optimizar tu página web. Cuando ya esté a tu gusto, y tras hacer click en OK, se te preguntará si debe crearse una carpeta para tu página web .

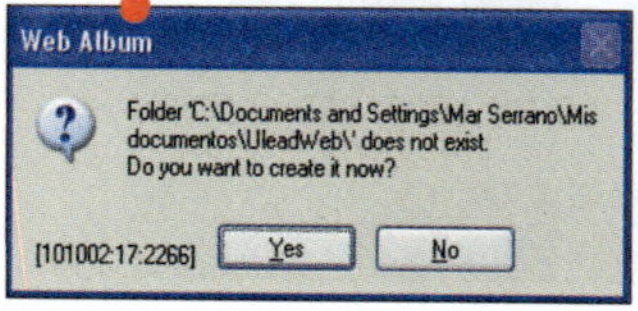

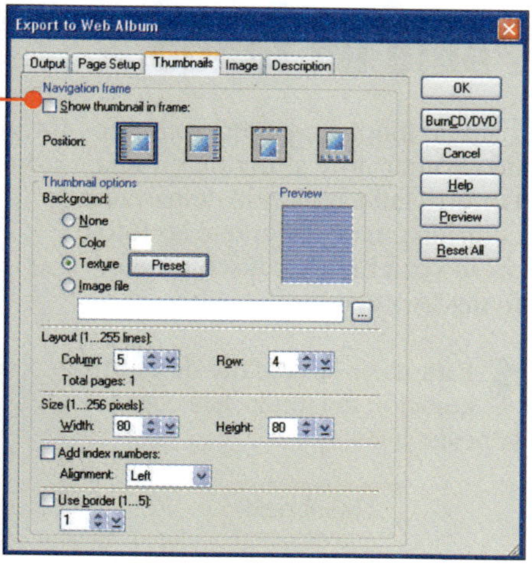

Haz click sobre la foto en miniatura que quieras ver con un tamaño mayor.
Ya tienes listo tu álbum fotográfico para colgarlo en Internet. Y ahora sólo te queda subirlo hasta tu página web para que puedan ver las fotos todos tus amigos.
Para poder exponer tus fotos en un álbum electrónico, es decir, "colgarlas" en Internet, necesitarás un espacio propio en la Red. Hay dos formas básicas de conseguirlo, una es disponer de una página web propia, lo cual no es muy difícil porque tu proveedor de Internet seguramente tiene ofertas de alojamiento gratis en su propio dominio, si es que tú no dispones de uno. Normalmente, el espacio que ofrecen estos proveedores para alojar tu página web suele ser suficiente para "subir" tus fotografías. La otra manera es buscar alguna empresa que ofrezca directamente el servicio de alojamiento de fotos digitales en la Red, aún sin disponer de página web propia.Abre tu navegador e introduce la búsqueda en tu buscador de Internet preferido y ya verás como aparecen decenas de sitios web que ofrecen cualquiera de los dos servicios a precios muy asequibles o incluso de forma gratuita.

! Miniaturas en Internet

El tiempo que tarda en cargarse una página en Internet es un factor importante, así que las imágenes deben ser lo más pequeñas posible y por este motivo no se muestran en el tamaño original. Si se presentaran en el formato original, tardarían mucho en cargarse completamente y nadie esperaría todo este tiempo. Por este motivo es aconsejable presentar las fotos en miniaturas (en inglés "Thumbnails" = uña del pulgar). Al hacer click en una de estas miniaturas, se abrirá la imagen en su formato original.

¿Qué es...?

Actualización
Las empresas de software desarrollan nuevas versiones de sus programas destinadas a reemplazar a las versiones más antiguas del mismo producto. Normalmente, estas empresas facilitan la actualización de su programa a un precio menor a aquellos usuarios registrados del producto. Cada vez es más habitual la actualización de un programa a través de Internet y muchas veces es el propio programa el que avisa al usuario de que hay disponible una nueva versión del producto en la Red. La mayor o menor antigüedad de un programa viene indicada por los números de versión y de actualización.

ADSL
Asymmetric Digital Subscriber Line. La tecnología que permite transferir datos a través de la red telefónica básica (RTB), es decir, emplea el hilo telefónico para la transmisión de datos, si bien es necesario un módem especial ADSL. Los datos se transmiten hasta entre 4 y 16 veces más rápido que con la línea RDSI y permite compartir el teléfono y el módem de forma simultánea en la misma línea.

Arrancar un programa
Es otra forma de referirse a la inicia-ción de un programa, bien pulsando en su entrada desde el menú Inicio, o bien con un doble

¿Qué es...?

click desde el icono insertado en el Escritorio en el momento de su instalación.

Asistente
Sencilla aplicación, que generalmente se encuentra dentro de otra, y cuya función es la de ayudarte a realizar algún proceso en concreto, como la instalación de un programa, la elaboración de un documento, etc. Primero realiza determinadas preguntas al usuario y, con dicha información, lleva a cabo la operación de forma totalmente autónoma.

Bandeja del sistema
La bandeja del sistema está situada en la parte inferior de la pantalla de tu monitor y en ella se alojan algunos iconos correspondientes a los programas instalados.

Si pulsas sobre el icono, el programa vinculado se lanza, de la misma forma que si haces click sobre el icono de acceso directo que suele instalarse en el Escritorio.

Barra de desplazamiento
Cuando no cabe todo el contenido en una ventana, aparece una barra en el borde derecho y otra en el inferior. En los extremos de estas barras podemos observar unas flechas.

¿Qué es...?

Si hacemos click sobre ellas, el contenido de la ventana se desplazará en esa dirección.

Barra de direcciones

En los navegadores de Internet, es el espacio donde se inserta la URL de la página web que se desea visitar.

Barra de herramientas

Componente de una aplicación que facilita en gran medida el acceso a determinados componentes de la misma. Con ella, en lugar de tener que buscar por los menús cada uno de los comandos que se quieren emplear, basta con efectuar una simple pulsación de ratón sobre el icono correspondiente.

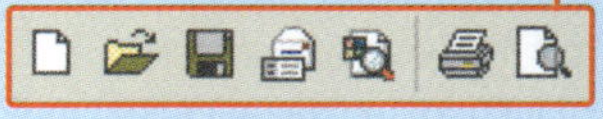

En los programas realmente buenos se puede personalizar el contenido de esta barra para que incluya las acciones preferidas para facilitar el trabajo al usuario.

Barra de Inicio

La barrra de Inicio de Windows toma su nombre del botón de Inicio. Haciendo click en él aparece un menú con el que, por ejemplo, puedes arrancar todos los programas. En la barra de Inicio aparecen los programas cargados en ese momento. Haciendo click en cada icono, se puede cargar el programa respectivo en la pantalla o, por el contrario, volverlo a hacer desaparecer de la pantalla.

Barra de menús

Los programas, especialmente los de Windows, tienen colocados los comandos principales en una franja ubicada en la parte superior de la ventana, justo debajo de la barra de título de la aplicación. Puedes acceder a cada categoría o submenú haciendo click con el ratón sobre una de ellas o pulsando la combinación de teclas Alt + "letra subrayada".

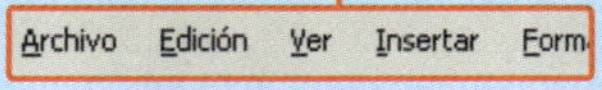

Barra de título

Banda superior, generalmente de color azul, que aparece en la mayoría de las ventanas de los programas. En la esquina izquierda está el icono correspondiente al programa, seguido del nombre de la aplicación y el fichero que se encuentre abierto. Y a la derecha encontramos los iconos que sirven para cerrar, restaurar y minimizar la ventana.

Cabezales

Los cabezales de impresión en las impresoras de inyección de tinta

¿Qué es...?

son los dispositivos que contienen los cartuchos de tinta y que controlan el flujo de la misma, de manera que se distribuyan correctamente los puntos de tinta en la impresión.

Cámara digital

Las cámaras digitales no utilizan la convencional película fotográfica (el tradicional rollo). Almacenan una imagen como si se tratara de un fichero cualquiera, de manera que se pueda ver y modificar con la ayuda de un ordenador.

Carpeta

En Windows se llama carpetas a los apartados que contienen datos o programas. En éstas se archivan ordenadamente documentos de texto, tablas o imágenes, de manera que no estén todos mezclados. Las carpetas se reconocen por un icono semejante a un archivador de oficina. Si una carpeta contiene subapartados, éstos se llaman subcarpetas. Es recomendable guardar los archivos relacionados temáticamente en una carpeta propia.

CompactFlash

De la misma manera que las cámaras de fotos convencionales utilizan carretes para guardar las imágenes, la mayoría de cámaras digitales utilizan tarjetas de memoria CompactFlash

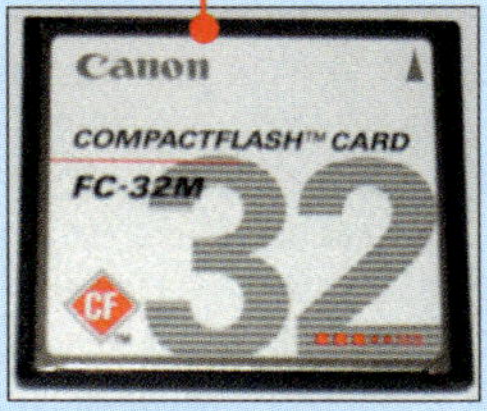

para guardar la información. Ofrecen la ventaja de no consumir energía para mantener la información. Su tamaño es muy reducido y son intercambiables para que puedan ser sustituidas cuando se agoten.

Configurar

En la instalación de un nuevo programa o después de ésta, lo mismo que ocurre con un nuevo hardware, a menudo hay que configurarlo. Esto significa cambiar de posición algún interruptor o dispositivo en el caso del hardware o definir valores para algunos parámetros en el software.

¿Qué es...?

Contraseña

Conjunto secreto de caracteres que se utilizan como medida de seguridad para evitar accesos no autorizados a un archivo, un programa o un ordenador. Cuando se introduce una contraseña en la pantalla aparece una línea de asteriscos para que nadie pueda leerla.

Contrato de licencia

Acuerdo legal que permite a un usuario o grupo de usuarios utilizar un determinado software. La mayor parte de ellos permite instalar el programa en un solo ordenador, y realizar copias del mismo sólo como **copia de seguridad**. A menudo el contrato de licencia se muestra en una pantalla durante el proceso de instalación o la primera vez que se ejecuta el programa, debiendo pulsarse el botón correspondiente para continuar.

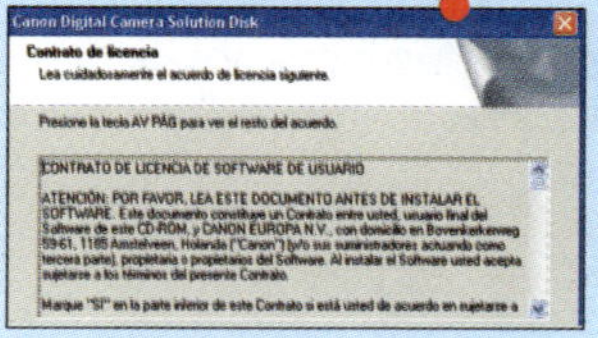

Copia de seguridad

Es una copia, bien de los archivos que contiene el disco duro de tu ordenador o bien de los CDs que contienen software original, como medida de precaución frente a una posible pérdida de los datos o del programa completo.

¿Qué es...?

Correo electrónico

Es un sistema que permite enviar y recibir mensajes escritos a través de la red Internet a cualquier parte del mundo. Dentro de cada mensaje es posible incorporar también ficheros de todo tipo, desde imágenes hasta programas. Un ejemplo de dirección de correo electrónico: computerhoy@hobbypress.es.

Cuadro de diálogo

Ventana que permite al usuario introducir datos para configurar el sistema o registrar cualquier otra información. Se le llama así porque habitualmente, según la información insertada en el mismo, el programa actuará de una u otra forma, es decir, que se trata de un elemento interactivo.

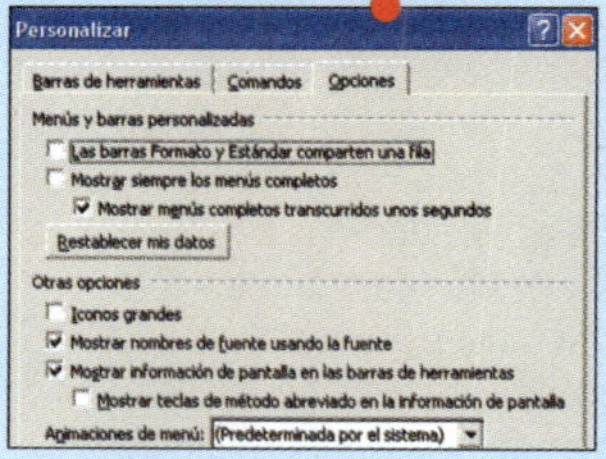

Descarga

También se emplea el término inglés Download y se refiere a la acción por la cual se obtienen ficheros de Internet, bien de páginas web o de lugares FTP dispuestos para este fin. La descarga se puede realizar desde el mismo navegador, haciendo click en los enla-

¿Qué es...?

ces que representen los archivos, o mediante programas especialmente diseñados para la descarga.

Deslizadores

Algunos programas incorporan funciones en las que debe seleccionarse porcentajes con un amplio margen. En estas situaciones suele incluirse una barra con los porcentajes extremos a la derecha y la izquierda. Un deslizador es el punto sobre el que situamos el puntero del ratón y que nos permite desplazarnos por la barra, hasta encontrar el porcentaje o la medida exacta de la función o el efecto concreto.

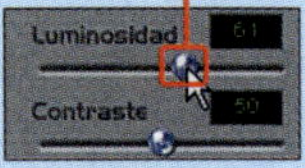

DirectX

Conjunto de interfaces de aplicaciones (APIs) desarrolladas por Microsoft y enfocadas a la creación y gestión de gráficos y efectos de sonido. Permiten que a las aplicaciones multimedia sacar partido de dispositivos como las tarjetas aceleradoras. Resulta un elemento imprescindible para ejecutar videojuegos de última generación en el ordenador.

Disparador automático

Se trata de un dispositivo muy útil cuando queremos fotografiarnos a nosotros mismos, como objeto único de la toma o en compañía de alguien más. El disparador automático nos permite retrasar el disparo de la toma hasta que hayamos tomado posición en el encuadre de la foto.

Distancia focal

Es la distancia que existe entre la superficie de la lente de la cámara y la matriz del sensor, que está situada en su parte posterior, es decir, desde el centro óptico del objetivo, hasta el plano focal donde se forma la imagen, enfocando la lente hacia el infinito. Se calcula en milímetros. A mayor distancia focal, menor es el ángulo de vista y mayor el tamaño de los objetos enfocados.

Doble click

Apretar el botón izquierdo del ratón dos veces seguidas es el método que se utiliza en muchas interfaces gráficas de usuario para abrir un archivo o para ejecutar aplicaciones.

E-mail

(Ver Correo electrónico)

Escáner

Es un dispositivo parecido a una fotocopiadora que lee imágenes, gráficos y textos y los transforma en archivos digitales que pueden almacenarse en el ordenador. Los escáneres pueden ser de dos tipos, los más económicos son los

¿Qué es...?

de mano. Los más sofisticados son los escáneres de sobremesa o escáneres planos, que suelen ofrecer mayor calidad.

Escritorio

Es la superficie principal de trabajo de Windows. En esta superficie podemos dejar todo tipo de ficheros y aplicaciones para que estén accesibles en cualquier momento. En el Escritorio encontraremos iconos importantes como el de Mi PC o la Papelera de Reciclaje. Podemos personalizarlo a nuestro gusto, con diferentes fondos, tipos y tamaños de letras o colores en los menús.

Explorador

El Explorador de Windows es el administrador de archivos del sistema operativo. Permite gestionar las unidades de almacenamiento, es decir, copiar, mover, crear o eliminar archivos desde la misma ventana .

¿Qué es...?

Factor de compresión

Las fotografías que tomas se guardan en la cámara comprimidas, con el objeto de que ocupen el menor espacio posible y poder almacenar un mayor número de ellas. Pero si el factor de compresión es demasiado elevado, las fotografías se almacenan con un menor número de datos, lo que significa una mayor pérdida de calidad, particularmente si la fotografía debe imprimirse luego a un tamaño considerable.

Flash

Con el objeto de poder tomar fotografías también cuando no hay suficiente luz ambiental o eléctrica, muchas cámaras incorporan un flash, que puede ser manual o automático. El flash es un haz de luz que se dispara en el momento de realizar la toma, proporcionando la luz necesaria. A veces se utiliza también para difuminar los contrastes de brillo y sombras en la fotografía, en el caso de que la luz incida intensamente en algunos lugares, dejando en la penumbra otros. Este dispositivo puede ser externo y conectarse a la cámara mediante un sincronizador o bien estar integrado en la misma.

Flash automático

Un sistema de flash que determina de manera automática si una toma fotográfica necesita flash y pro-

¿Qué es...?

porciona la intensidad de luz adecuada para que la fotografía no salga demasiado oscura.

Flash previo
Las cámaras fotográficas más modernas incorporan un flash previo con el objeto de eliminar el efecto de los ojos rojos en las fotografías en las que el sujeto fotografiado mira directamente a la cámara.

Fondo de Escritorio
Windows utiliza una interfaz gráfica al iniciarse en la que aparece la foto seleccionada por defecto. Es lo que se denomina Fondo de Escritorio, el cual puede cambiarse por la imagen que prefieras, siempre que ésta tenga un formato adecuado como por ejemplo, Bitmap o JPG.

Formato de archivo
Es la forma de almacenar la información que tiene un determinado tipo de archivo, es decir, el modo en que se estructuran esos datos. Se reconoce un formato de archivo por la extensión del mismo, es decir, las siglas que aparecen en su nombre, después del punto. Un formato con la extensión TXT, por ejemplo, corresponde a un archivo de texto.

Gigabyte
Unidad de capacidad que equivale a un giga de bytes, es decir, a 1.073.741.824 bytes. O lo que es lo mismo, 1.024 Megabytes (Mb).

¿Qué es...?

Gran angular
Una lente con una distancia focal menor y un campo de visión superior al de las lentes estándar que llevan incorporadas las cámaras básicas. Se utiliza sobre todo para realizar tomas fotográficas panorámicas.

Hardware
Es la parte física de un ordenador, es decir, sus componentes materiales. El término se hace extensible a los periféricos, por ejemplo un escáner, una impresora o una unidad externa de grabación.

Hipervínculo
Se llaman así a las palabras o frases que aparecen subrayadas en las páginas web, que están vinculadas a otra página o dirección y que nos llevan a la misma cuando pulsamos sobre ellas. También puede tratarse de una imagen. Normalmente estos elementos cambian de color o de forma al pasar por encima de ellos con el ratón, para indicar que una pulsación sobre ellos ejecutará una acción concreta, en este caso, llevarnos a otra página. Se conoce también como enlace, hiperenlace o link.

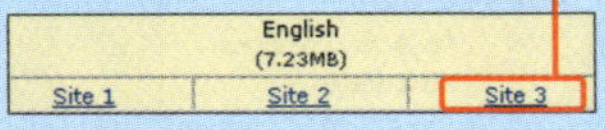

Icono
Pequeña imagen gráfica que se muestra en pantalla o en el panel

¿Qué es...?

de indicadores. En Windows, los iconos representan objetos que el usuario puede manipular.

Importar
Cuando una aplicación lee un archivo en un formato que no es el suyo propio o está alojado en las carpetas de otro programa, éste debe importarse. Cuando se importa el archivo concreto, se pueden complementar distintas aplicaciones al compartir los mismos datos.

Impresora de chorro de tinta
Las impresoras de chorro de tinta son las que utilizan tinta líquida para imprimir gráficos o texto. La tinta se puede recargar sustituyendo unos cartuchos que se encuentran en el interior de la impresora. La tecnología que utilizan se basa en proyectar diminutas gotas de tinta sobre el papel para formar las imágenes. Actualmente son las impresoras que más se venden en el mercado doméstico y lo más normal es que puedan imprimir en color.

Impresora fotográfica
Se llaman así a las impresoras que tienen prestaciones especiales destinadas a la conexión con una cámara fotográfica digital, por

¿Qué es...?

ejemplo una ranura en la que insertar la tarjeta de memoria de la cámara para imprimir directamente las fotografías almacenadas en la misma, sin la ayuda del ordenador.

JPEG
Significa Joint Photographic Expert Group (Grupo de Expertos Fotográficos Unidos). Es un formato de archivo gráfico muy utilizado en las páginas web, junto al formato GIF. El formato JPEG, también abreviado como JPG, se utiliza más que el anterior, pues su calidad para fotografías es muy aceptable, gracias a la utilización de algoritmos de compresión.

Megabyte (Mb)
Es una unidad de medida de información. La cantidad de memoria del ordenador y del espacio de los discos duros se mide en bytes. La siguiente unidad de almacenamiento es el Kilobyte y las siguientes el Megabyte y el Gigabyte. La relación es similar a la del gramo, el kilogramo y la tonelada. Un kilobyte se corresponde con 1.024 bytes, mientras que un Megabyte se corresponde con 1.024 kilobytes o 1.048.576 bytes y 1.024 Megabytes corresponden a 1 Gigabyte.

Megapíxel
Un megapíxel corresponde a un millón de píxeles y es la unidad

¿Qué es...?

para medir la resolución con que una cámara digital es capaz de capturar las imágenes. El término píxel, es la forma inventada como consecuencia de la unión de las palabras "PICture ELement" (Elemento de Imagen). Es la unidad más pequeña con la que se representa una imagen en formato digital. Cuantos más puntos tenga una imagen mayor será su resolución y por tanto su calidad.

Menú de Inicio

El menú de Inicio de Windows aparece en cuanto se lleva el cursor al botón de Inicio en la esquina inferior iquierda de la pantalla y se hace click con el botón izquierdo del ratón. Contiene programas y carpetas que se inician o despliegan submenús, haciendo click también sobre ellos.

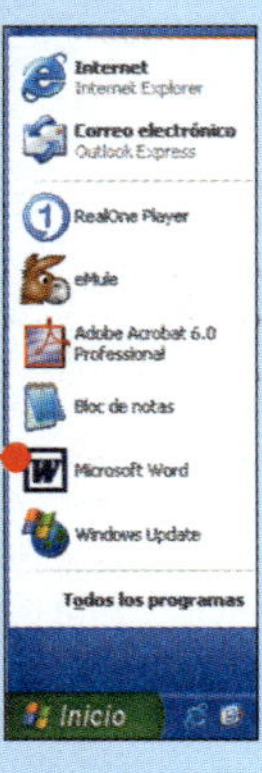

Navegador

Estas aplicaciones permiten visualizar la información que contienen las páginas web de Internet. También podemos utilizarlos para descargar ficheros o recibir contenidos multimedia. En la actualidad los dos navegadores más utilizados en la Red son Internet Explorer de Microsoft y Navigator de Netscape.

Online

Término inglés que significa "en línea". Un ordenador está online cuando se conecta a otro e intercambian datos entre sí a través de dicha conexión.

Página web

Páginas de Internet que utilizan un lenguaje especial llamado HTML, que permite presentar en pantalla texto y gráficos en el formato deseado. La evolución de este lenguaje ha permitido incorporar también sonido, vídeo y hasta programas.

Paleta de color

Tu ordenador puede presentar una amplia gama de colores. Teniendo en cuenta que es difícil que vayas a necesitarlos todos, muchos programas permiten la creación de paletas de colores personalizadas. Éstas tendrán una selección de los colores más utilizados.

¿Qué es...?

El nombre de paleta de colores lo recibe por su parecido a la paleta que utilizan los pintores, en las que ponen pequeñas cantidades de pintura de los colores que usan con mayor frecuencia.

Papel fotográfico
Papel especial para imprimir fotografías o documentos que requieren una alta calidad y definición. No todas las impresoras pueden sacar el mismo partido de él, pero cuando la impresora es capaz de imprimir con cierta calidad, ésta se potencia con este tipo de papel y puede llegar a imprimir las fotos con un acabado verdaderamente profesional.

Pestaña
Si dentro de una ventana o cuadro de texto existen varias fichas con diferentes opciones, éstas se pueden seleccionar pulsando con el ratón en los pequeños campos de la parte superior de la ventana. Estos campos de selección se asemejan a las lengüetas de las carpetas de un archivador y se llaman pestañas.

ppp
Puntos por pulgada. Es la unidad empleada para medir la resolución de una impresora o un escáner. En impresoras se llama punto por pulgada a los puntos que caben en una pulgada cuadrada (2.54 cm.) de lado. Cuantos más tenga, mejor. Algunas tienen diferentes resoluciones en horizontal y en vertical.

Registrar
El registro del software no es una acción que se realice siempre, a pesar de que tiene una serie de ventajas para el usuario. En primer lugar, indica al fabricante que la copia no es pirata sino legal y, como contrapartida, te ofrecen servicio técnico, ayudas, información de actualizaciones o de otros productos, e incluso en ocasiones descuentos para otros programas.

Reiniciar
Acción de volver a arrancar el ordenador sin apagarlo (también se denomina "arranque en caliente"). Para reiniciar el ordenador, pulsa simultáneamente las teclas Ctrl + Alt + Del mientras el ordenador está encendido.

Resolución
La imagen se representa en la pantalla como filas y columnas de puntos independientes. Es decir, que cada uno de ellos puede tomar cualquier color. De esta forma, se construyen las imágenes como si la pantalla fuese un mosaico de puntos diminutos. Naturalmente, cuantos más puntos se usen para pintar la panta-

¿Qué es...?

lla, más precisión obtendremos. A esta precisión se le conoce como resolución, y se expresa en el número de puntos de ancho por el número de puntos de alto que mide la pantalla. Las resoluciones más usadas son las de 800 X 600 y 1.024 X 768. Así, una resolución de 1.024 X 768 indica que la pantalla usa una cuadrícula con 1.024 puntos en horizontal y 768 puntos en vertical.

Salvapantallas
Son pequeños programas que se activan cuando el usuario lleva un tiempo determinado sin usar el teclado ni el ratón. Muestran imágenes en la pantalla de forma que el contenido de ésta vaya cambiando para evitar que se estropee la imagen del monitor. Los monitores actuales, sin embargo, no son tan susceptibles a los daños que puede causar mantener una imagen fija en la pantalla durante mucho tiempo, como ocurría con los modelos más antiguos.

Sistema operativo
Es el programa básico que permite que funcione el ordenador. Se pone en marcha cuando se enciende el sistema y carga los ficheros necesarios para poder utilizar los recursos del ordenador. Contiene, por ejemplo, las funciones encargadas de leer el teclado y el ratón, leer y escribir

¿Qué es...?

en las unidades de disco y de escribir en la pantalla. Algunos de los sistemas operativos más conocidos o utilizados son Windows, Linux o MacOS y el viejo MS-DOS.

Sobreexposición
Se refiere a la imagen captada que aparece descolorida y demasiado clara en general, debido a que el sensor de imagen, en el momento de la toma, ha recibido más luz de la necesaria y el objeto fotografiado ha quedado demasiado expuesto. Este defecto puede subsanarse editando la fotografía en un programa de tratamiento de imágenes.

Software
El conjunto de programas, procedimientos y documentación asociado a un sistema informático. Específicamente hace referencia a los programas del ordenador que dirigen y controlan las actividades del sistema informático.

Subexposición
Contrariamente a la sobreexposición, la foto carece de la luz conveniente y presenta partes importantes demasiado oscuras. Con un programa de tratamiento de imágenes, puede optimizarse la fotografía en cuestión, aclarando las partes que han quedado en penumbra.

¿Qué es...?

Suite

Es un lote de programas que se venden conjuntamente, y en el que destaca su compatibilidad e integración entre ellos y la potencia del conjunto frente a las aplicaciones por separado. Las más habituales en una suite ofimática son un procesador de texto, una hoja de cálculo, una base de datos, una agenda, y un programa de presentaciones, aunque pueden incluir muchos más. Este lote completo suele resultar más barato que comprar los programas por separado, aunque alguno de ellos no lo necesites.

Tarjeta de memoria

Un módulo de memoria de pequeño tamaño, que se utiliza como memoria adicional en ordenadores portátiles, agendas electrónicas y cámaras digitales. En estas últimas, sustituyen al tradicional carrete fotográfico como dispositivo de almacenamiento de las fotografías.

Teleobjetivo

Una lente con una distancia focal mayor y un campo de visión menor que las lentes estándar de las cámaras básicas. Se utiliza para enfocar y ampliar objetos muy alejados de la cámara.

¿Qué es...?

TIF

Tagged Image File Format (Formato gráfico de mapa de bits). Es un formato gráfico que se utiliza para almacenar imágenes. Pueden ser en blanco y negro, escala de grises o color, con o sin compresión.

URL

Siglas de "Uniform Resource Locator" (Localizador de Recurso Uniforme). Es la ruta completa para localizar un archivo o documento en Internet. Por ejemplo, en la dirección ftp://ftp.test.org/pub/archivo.zip se especifica el protocolo (ftp), el nombre del servidor (ftp.test.org) y la URL del recurso.

USB

Acrónimo de "Universal Serial Bus" (Puerto de Serie Universal). Es un tipo de puerto (un enchufe en el que se conectan componentes) que soporta una velocidad de transferencia mucho más rápida que un puerto serie o paralelo, sobre todo en su versión 2.0, y en el que se pueden conectar hasta 127 dispositivos simultáneamente. Soporta Plug & Play, es decir, permite enchufar un dispositivo y que el equipo lo reconozca y pueda usarlo sin necesidad de instalar drivers ni reiniciar el sistema.

¿Qué es...?

Versión

Es, realmente, un número que se usa para indicar el estado de desarrollo de un programa. Los cambios sustanciales se indican modificando el número que precede al punto, por ejemplo 3.0 pasa a ser 4.0. Las menos significativas con el cambio del número que sigue al punto (3.0 a 3.1). Y, por último, las correcciones menores se anuncian con números adicionales o letras (3.1b pasa a ser 3.1c)

Visor digital

Un nuevo sistema para encuadrar las fotografías del que disponen las cámaras digitales: a través de la pantalla LCD se nos muestra el encuadre tal y como quedará en la toma final de la fotografía.

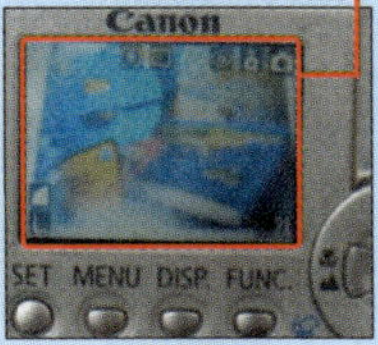

Visor óptico

Es el sistema tradicional que se utiliza en las cámara analógicas para enfocar una imagen a través de un pequeño dispositivo incorporado en la cámara en el que vemos el encuadre real de la fotografía para hacernos una idea del resultado.

Windows XP

Windows XP es la última versión del sistema operativo desarrollado por la empresa Microsoft. Ésta y las anteriores versiones del sistema operativo Windows dominan el mercado de los PCs.

Zoom digital

La ampliación óptica de un objeto tiene ciertos límites que dependen del objetivo utilizado. Para las ampliaciones que sobrepasan el rango óptico, las cámaras digitales "calculan" una ampliación de una parte de la imagen. Este procedimiento influye negativamente en la calidad de las imágenes ampliadas, ya que al aumentar la imagen se pierde resolución y los detalles resultan borrosos.

Zoom óptico

Una función que modifica la distancia focal de la cámara, para que el fotograma quede más lleno con el objeto enfocado.